國家古籍整理出版專項經費資助項目

栖芬室

栖芬室藏中醫典籍精選·第三輯

新編名方類證醫書大全 壹

【明】熊宗立 輯

中國中醫科學院中醫藥信息研究所組織編纂

牛亞華◎主編　　　　牛亞華◎提要

北京科學技術出版社

栖：江湖芳：芷辰名席
萬泉月頻賣涉空可為人
浮隨徒唯屯消芥僑于栖此去
為余又范臾計廿日携栖芬室
怙府止其以當志筹送卜申閱置
之廣用目藏家下送褂料達義感故
君之寫庫送疾積書之嚴為信沈上
為于也志尼怨合者勤叙播逼是皆
不以為異乃橘吉寫府日栖芬
室並勾怡屯紀賣也余蒿吳
與辛兰學睞劈故書屯頸茚
觀吉以貽止事辰文楮德記

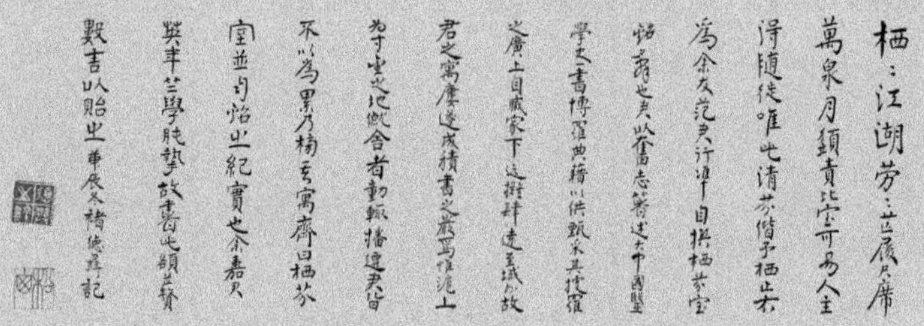

圖書在版編目（CIP）數據

栖芬室藏中醫典籍精選·第三輯. 新編名方類證醫書大全　壹/牛亞華主編. —北京：北京科學技術出版社，2018.1

ISBN 978 – 7 – 5304 – 9241 – 3

Ⅰ. ①栖…　Ⅱ. ①牛…　Ⅲ. ①中國醫藥學—古籍—匯編②方書—中國—明代　Ⅳ. ①R2-52②R289.348

中國版本圖書館 CIP 數據核字（2017）第213675號

栖芬室藏中醫典籍精選·第三輯. 新編名方類證醫書大全　壹

主　　編： 牛亞華
策劃編輯： 章　健　侍　偉　白世敬
責任編輯： 楊朝暉　周　珊
責任印製： 張　良
出 版 人： 曾慶宇
出版發行： 北京科學技術出版社
社　　址： 北京西直門南大街16號
郵政編碼： 100035
電話傳真： 0086-10-66135495（總編室）
0086-10-66113227（發行部）　0086-10-66161952（發行部傳真）
電子信箱： bjkj@bjkjpress.com
網　　址： www.bkydw.cn
經　　銷： 新華書店
印　　刷： 虎彩印藝股份有限公司
開　　本： 787mm × 1092mm　1/16
字　　數： 333千字
印　　張： 28.5
版　　次： 2018年1月第1版
印　　次： 2018年1月第1次印刷
ISBN 978 – 7 – 5304 – 9241 – 3/R · 2399

定　　價： **800.00元**

《栖芬室藏中醫典籍精選》編纂委員會

前言

范行準先生是中國醫史文獻研究的開拓者之一，其成就之巨大，至今難以逾越；他也是著名藏書家，其栖芬室以收藏中醫古籍聞名於世。與一般藏書家不同的是，范行準先生搜求醫籍的初衷并非只爲藏書，而是爲開展醫史研究收集資料，因此，他的藏書除注重醫籍的版本價值外，更重視文獻的稀缺性和學術性。他説：『予之購書，善本固所願求，但應用與希覯孤本，尤亟於善本也。』足見他對購求孤本和稀見本比善本更爲迫切。他的藏書不僅有元明善本，還有大量的孤本、稀見本、稿抄本，這更是其藏書的一大特色；他還特别注重圍繞某個專題進行搜集，如爲了研究中國免疫學史，他搜集了大量疫病、痘疹和牛痘接種的相關文獻；他在本草、成藥方、中西匯通醫書的收藏方面，亦有獨到之處。

長期以來，研究者一直期望將栖芬室藏中醫古籍珍本系統整理，影印出版。在國家古籍整理出版專項經費的資助下，我們已甄選栖芬室藏元明善本、稿抄本以及最具特色的『熟藥方』，并加以編輯整理，邀請專家撰寫提要，且分别於二〇一六和二〇一七年相繼影印出版了栖芬室藏中醫典籍精選第一輯和第二輯，受到學界歡迎。上述兩輯出版的著作，僅爲栖芬室藏書的一部分，除此之外尚有許多醫籍值得醫界研究和利用。此次我們又獲得了國家古籍整理出版專項經費的資助，選取了十餘種明清孤本、善本和有實用價值的醫籍影印出版，是爲栖芬室藏中醫典籍精選第三輯。

作爲『栖芬室藏中醫典籍精選』項目的收官之作，本輯在書目的選擇上尤難决斷，栖芬室所藏珍本甚多，内容廣泛，難免顧此失彼。我們希望所選書目既能兼顧臨床實用與文獻價值，又能體現栖芬室藏書的特色和范行準先生的藏書理念。

基於上述考慮，本輯入選書目大多臨床實用與文獻價值兼具。如醫略正誤概論是少見的針砭時弊的作品，該書十分注重常見病尤其是熱證的鑒别診斷，是關於熱證最全面的論著。女醫雜言是罕見的女性醫家的著作，也是較早的醫案著作，所記案例均爲女性病人，内容細緻入微。衆妙仙方是明代官吏馮時可在廣西爲官時，發現當地缺醫少藥，迷信巫術，爲改變這種狀况而作，收方切合實用。新編名方類證醫書大全、慈惠小編、脉微等均具有較高的臨床價值。

在版本和文獻價值方面，本輯所收有不少爲海内外孤本，如上述的醫略正誤概論、女醫雜言、慈惠小編及秘傳常山敬齋楊先生針灸全書等爲天壤間僅存之碩果，且其中一些還入選了國家珍貴古籍名録，其版本和文獻價值自不待言。有些入選醫書雖然現存不止一種版本，但也獨具特色。如衆妙仙方，現存三種版本，本次所選爲萬曆刊本，印刷年代雖在三種版本中最晚，但經比對發現，該版本與其他兩種版本有較大差异，應是其初刊本的翻刻本，反映了該書最初的狀態，對研究該書版本及修訂演進有重要價值。再如醫説，版本衆多，民國至今，我國已出版的影印本多達二十餘種，但是，這些影印本所據底本僅宋刊本、四庫全書本和顧定芳本三種。本次選用的張堯德刻本，經籍訪古志補遺評價其爲『依顧定芳本而改行款字數者，然比之顧本，仍能存宋本之舊』。該版本序、跋最全，存本亦少，對於考察醫説的版本源流以及校勘均有重要價值。

栖芬室藏書中，有不少和刻本中醫典籍，本次選編的熊宗立新編名方類證醫書大全爲這類書的代表，該書刊刻於日本大永八年（一五二八），是目前已知的日本翻刻的第一部中國醫籍，也是日本博多本的代表作，本身具有很高的版本價值。其底本是明成化三年（一四六七）熊氏種德堂刻本，翻刻本連原刻本的牌記都原樣照刻，而原刻本國内已無存。有學者曾將該翻刻本與日本藏明成化三年原刻本對比，認爲二者的版式、行款俱同，從該和刻本還可以窺見原刻本之面貌。該和刻本後有日本著名學者幻雲壽柱的校勘記，這是中日醫學交流的重要見證。

范行準先生因明季西洋傳入之醫學一書蜚聲學界，其藏書中亦不乏中西匯通著作，如徽臏八編・内鏡收載了一些西方傳入的解剖生理學知識，是現在所知最早的中西匯通醫書，國内僅兩家圖書館有藏，亦屬珍貴。近年來，該書引起學界關注，屢被引用，但對其系統的研究工作還有待開展。

栖芬室藏書中，還有一些醫學學術價值雖然不高，但却能據以了解醫學在市井平民間傳播方式的普及性書籍，繡像翻症即屬此類。關於該書，范行準先生曾在栖芬室架書目録按曰：『「翻症」之自來未聞，嘗殫思不得其解，頃重整書目，又觸及此書，忽悟「翻」乃「番」之借字，諸言霍亂由外番傳入，故亦稱「番痧」。而因患者嘔吐猝倒，北方稱爲翻倒，因有「翻症」之稱。』該書後附售賣各種成藥的名單，因而范行準先生『疑亦當時藥肆宣傳品』。書中用動物和人的形象表示疾病的症狀，如『烏鴉狗翻症』上方繪一鴉一狗，下方繪一跌倒地上、口吐穢物的病人。文字則書寫症狀、治法，形象生動。中國中醫古籍總目收載有該書的三種版本，最早爲同治年間刊本，本次影印者爲更早的咸豐元年文林堂刻本，爲中國中醫古籍總目所漏載。

在第一輯的前言中，我們已對范行準先生和栖芬室藏書做了介紹，但是在本項目即將完成之際，仍情不自禁感念先賢保存中醫古籍的豐功偉業。范行準先生出身貧寒農家，本是放牛娃，斷續讀過兩年小學，靠自學考入上海國醫學院，在師友接濟下才得以完成學業。寒門子弟，本應與藏書家的名號無緣。但是，范行準先生對醫史文獻研究産生了濃厚興趣，爲此他開始搜求醫籍，以供學術研究之用。抗日戰争爆發後，珍貴圖書散落市井，他又『念典章之覆没，感文獻之無徵』，終日流連於書肆冷攤，節衣縮食，不惜典當借貸，購買醫籍，竟憑一己之力，使大量珍貴醫籍免遭兵燹之厄，存留至今，爲我們所用。

范行準先生是公認的藏書家，但他却不願以此自詡，他説：『有人曾經稱我爲藏書家，老實説我是不太喜歡這個詞的，我認爲「書」是供人閲覽和參考，而决不是讓人來觀賞的，否則無論多麽珍貴的書都會成爲一堆毫無價值的廢紙。』中國傳統的藏書家往往將自家藏書作爲案頭的清供與把玩件，不輕易示人，但范行準先生則視『書物爲天下公器』，在自己頭腦尚清醒之時，即將栖芬室藏中醫典籍悉數獻出。這些藏書不僅價值連城，而且耗費了他畢生心血，亦讓他在感情上難以割捨。他説：『這些書籍跟隨了我三十餘年，它們和我朝夕相處，是我的良師益友，我也把它們當作自己的孩子來愛護，現在讓我一下子離開它們，我心中自然是异常地難捨難分，但是在我有生之年能够看到我酷愛的書籍將爲整個社會、整個中醫事業做更大的貢獻時，我感到無限的幸福和光榮。』

『爲整個社會、整個中醫事業做更大的貢獻』是范行準先生生前的崇高願望，棲芬室藏中醫典籍精選的整理出版，正是以實際行動繼承范行準先生的遺志，以期爲發展中醫藥事業貢獻力量。

棲芬室藏中醫典籍精選總計三輯，它能够順利出版，有賴國家古籍整理出版專項經費的資助，中國中醫科學院中醫藥信息研究所領導和各位專家的支持，以及古籍研究室同事和北京科學技術出版社編輯的辛勤工作。在此一并致謝！

牛亞華

二〇一七年十一月九日於中國中醫科學院

目録

棲芬室藏中醫典籍精選·第三輯

新編名方類證醫書大全　壹

提要　牛亞華

内容提要

新編名方類證醫書大全是明代著名刻書家兼醫家熊宗立編集的一部方書。該書前有明天順二年(一四五八)福建布政使右參政吴高的序文,曰:『建陽熊均宗立,勿軒後人也。』由此可知,熊均(一四〇九—一四八二),字宗立,爲宋代大儒熊禾(勿軒)之後人。又有學者訪得其宗譜,記有:宗立字道宗,號道軒,又號勿聽子。原係江西南昌人,其先祖熊秘、熊博入閩爲官,其後卜居建陽,宗立一支定居崇化里(今書坊鄉)。熊氏設有鰲峰書院,爲子孫求學之所,因此,熊宗立在其著述中每每自稱『鰲峰熊宗立』。

熊氏爲當地之望族,且有醫名。其宗譜載,熊宗立曾祖熊天儒,好讀書,晚年學醫王中谷先生,傳其秘妙,至今書林子孫以醫名傳世者,自公始也。祖父熊鑒(字彦明),也頗知醫,據丹波元胤醫籍考,熊彦明著有類編南北經驗醫方大成。熊宗立本人也曾在坊間行醫,治病救人而不計報酬,頗具博施濟衆之心。可見熊氏種德堂編刻醫書是有其家學淵源的。

據新編名方類證醫書大全序,熊宗立幼年時代疾病纏身,認爲醫道有活人之功,遂留心收集驗方。他注意到古代流傳下來的醫方衆多,初學之人很難適從。坊間曾刊行過文江孫允賢的醫方集成，後來一些名醫又續增了宣明、拔萃等方子，稱爲『大成』，都是一些歷經使用、效驗卓著的方子，是學醫者的捷徑。但是他認爲該書『證類混雜，分兩欠明』，頗爲遺憾。因此，他在讀書之暇，將孫氏的醫方進行歸類整理，又將自己收集到的孫氏不曾采用的奇效之方以及家世傳授之秘，總匯成二十四卷，名曰醫書大全。書成之後，藏於家塾，供自家使用，後在别人請求之下才付梓行。落款明正統十一年（一四四六），應爲該書首刊之年。又據吴高新編名方類證醫書大全序曰：『乃取古人醫學源流所著方書，會同一選，始於風寒暑濕，終於小方脉科，厘爲二十四卷，名曰醫書大全，刊傳四方，予得而讀之……』由此可知，在明天順二年（一四五八）前，該書已有刻本，且流傳廣泛。據此可知，該序很可能是天順二年新刊時所爲。但是，這些早期版本均佚，現國内所存僅日本大永八年（一五二八）據明成化三年丁亥（一四六七）熊氏種德堂刊本翻刻本。

新編名方類證醫書大全共二十四卷，分六十八門，載方二千二百餘種，如果加上『又方』則更多。在編纂體例上，『各卷分門，各門析類，各類載方，方名之上，次序順流，以一、二、三、四之數而標記之，與目録互相貫通，使人展卷提其綱領，而節目分明，治病之際，審其證候而方藥備具，得無檢閲之繁』。以一、二、三、四標記序數，在中醫典籍中很少見到，是該版本的特色之一。

該書收録方劑，主要來自千金方、太平惠民和劑局方、太平聖惠方、世醫得效方、仁齋直指方、楊氏家藏方、百一選方、濟生拔萃方等，以宋元文獻居多。此外，還有不少爲民間驗方。該書包羅内、外、婦、五官等臨床各科，以證爲綱、條目分明，條理通貫，劑量準確，煎服用法詳備，不僅對於臨證處方有重要參考價值，亦是研究明代及明以前方劑學理論體系的重要文獻。

本次影印爲范行準先生所藏日本大永八年（一五二八）據明成化三年丁亥（一四六七）熊氏種德堂刊本翻刻本。該書前有吳高序和熊宗立自序，後有幻雲壽柱的跋文和辯誤，這些對考察作者生平及該書國内藏版，以及中日醫籍交流均有重要價值。

關於新編名方類證醫書大全明清史志書目罕有記載，國内著録始見於一九六一年出版的中醫圖書聯合目録，其後多種書目均有收録，所載版本可歸納爲下列幾種。

（1）明成化三年丁亥（一四六七）熊氏種德堂刊本，中醫研究院（中國中醫科學院）和中華醫學會上海分會圖書館收藏。

（2）日本大永八年（一五二八）刻本，北京圖書館（國家圖書館）收藏。

（3）日本據明成化三年丁亥（一四六七）熊氏種德堂刊本翻刻本，中醫研究院（中國中醫科學院）、中國醫學科學院、中華醫學會上海分會圖書館收藏。

（4）日本大永八年（一五二八）翻刻明天順二年（一四五八）本，未注明收藏單位。

該書後『辯誤』言，日本大永八年（一五二八）刻本翻刻時做了部分修訂工作，根據修改的内容，以及版刻信息，完全可以判定，明成化三年丁亥（一四六七）熊氏種德堂刊本國内并不存在，實際均爲日本大永八年（一五二八）據明成化三年丁亥（一四六七）熊氏種德堂刊本翻刻本。第二個日本大永八年（一五二八）刻本也是明成化三年的翻刻本。

日本翻刻本幾乎保持了明本的原貌，爲我們了解原刻本提供了材料。國内尚未見到明成化三年（一四六七）原刻本，日本内閣文庫藏有明成化三年本，該書原爲丹波家醫學館藏書，丹波元胤醫籍考曾著録該書。北京大學嚴紹璗教授將日本翻刻本與明成化三年原刻本做過對比，認爲二者的版式、行款俱同。我們見到的翻刻本連原刻本的牌記都原樣照刻，也正是由於翻刻本盡可能保持了原刻本的面貌，才致使國內的版本學家將翻刻本誤定爲原刻本。

該書還是了解明代中日醫學關係史的第一手資料。據幻雲壽桂的跋文可知，當時日本翻刻的中國儒家和佛家經典已有一些，唯獨關係人們健康的醫書却没有人翻刻。剛從中國傳來的醫書大全對於醫家很重要，但數量少，很多人想看又得不到，於是泉南阿佐井野宗瑞出資刊行了該書。這説明當時的日本社會對於中國醫籍的重視和需求程度都很高。該書成化三年本在中國已難覓踪迹，但傳到日本後即被翻刻，且廣泛流傳，表明當時福建和日本的書籍貿易頻繁，且有特殊關係，有些書籍印刷後可能主要銷往日本，國內反而少見。

本次影印的新編名方類證醫書大全是現存第一部和刻中國醫籍，也是日本博多本的代表作，具有很高的版本價值。該書跋文提到：『彼明本有三寫之謬，令就諸家考本方以正斤兩，雖一毫髮私不增損』。北京大學嚴紹璗教授認爲，這是和刻漢籍版本校勘的起始，對於古籍整理至爲重要。而『雖一毫髮私不增損』的校勘原則也極爲可貴。書中七處校勘，每處勘誤都有可靠的依據。如『去鈴丸，大明版冷鹽湯……水腫門：家藏方消腫圓，大明版五十圓，加至十圓……脱肛門：鈎腸圓，藥種之內，大明版白礬兩處有之……小兒門：金露圓藥種之內，大明版厚樸兩處有之』，這四處錯誤依據袖珍方，分別改爲『冷鹽酒』『五丸加至十丸』『一種作緑礬』『一種作官桂』；而『薑合丸，大明版每一斤作二十圓』，校勘時據太平惠民和劑局方改爲『每一兩』；癰疽門的梔子黄芩湯，明版書在同一方中出現兩處黄芩，則據外科精要將一種改作黄芪；『婦人門：六合湯，明版表虚表實，藥種相反，今據拔萃方改之』。由此可知，校勘工作還是非常認真的，改正的多爲原書有明顯錯誤之處，確實做到了『雖一毫髮私不增損』。如果僅從使用的角度出發，經過校勘的日本翻刻本價值更高，堪稱善本。

熊宗立一生編刻醫書頗多，有二十餘種，除了新編名方類證醫書大全外，尚有勿聽子俗解八十一難經、類編傷寒活人書括指掌方、王叔和脉訣圖要俗解、婦人良方補遺大全、藥性賦補遺、傷寒運氣全書、類證注釋錢氏小兒方訣、黄帝内經素問靈樞運氣音釋補遺等。其書坊名熊氏種德堂或熊氏中和堂。其醫書在日本廣泛傳播，影響極大。新編名方類證醫書大全爲日本翻刻中國醫籍之濫觴，日本翻刻的第二部中國醫籍是熊宗立的勿聽子俗解八十一難經，此後日本翻刻中國醫書多達二百餘種，形成了中外醫學交流史上蔚爲壯觀的景象。新編名方類證醫書大全曾於日本永禄年間（一五五八——一五七〇）被再次翻刻。

牛亞華

新刊名方類證醫書大全序

建陽熊均宗立勿軒後人也自幼嬰疾甫十歲受業仁齋劉先生之門天資穎敏書無不讀讀無不通早承師訓以醫道有活人之功極留心焉乃取古人醫

學源流所著方書會同一選始於風寒暑濕終於小方脉科釐爲二十四卷名曰醫書大全刊傳四方予得而讀之如登崑山瓊瑾琅玕粲然畢陳如入武庫戈矛甲冑森然具備究病之所

由起審藥之所宜用所以體天
地好生之仁在是所以廣
聖朝一視同仁之心亦在是矣嗟
夫人生兩間陰陽風雨晦冥感
其外男女飲食之欲傷其内疾
疢生焉扁鵲思邈之良世不常

有治病者其可以無方乎然古
今專門名家或得此失彼家無
全書人無全見臨證用藥幾何
不至於誤耶宗立自幼至長揉
揍之勤服食之精所謂三折肱
而知醫之良也是編之行業術

者得以取衆論而折衷僻遠無
醫者亦得以依方而救濟倉卒
無夭横之憂頃刻有回生之力
立心何其仁且慱哉其視得一
方秘而不以與人者大有逕庭
矣昔人謂達則願爲良相不達

願爲良醫夫相之與醫勢位雖
相懸絶而其調爕元氣以壽吾
民之命脉心則一也宗立是編
豈非良醫之用心乎由是推而
達之於良相之事有不難矣噫
相之用心皆能如宗立之用心

庶乎天下之福乎宗立以爲何

如耳

大明天順二年歲在戊寅六月

初吉

賜進士秋官員外太中大夫資治

少尹福建等處承宣布政使司

右叅政惠陽吳高尚志書

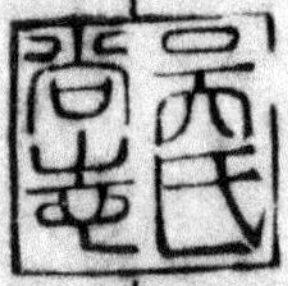

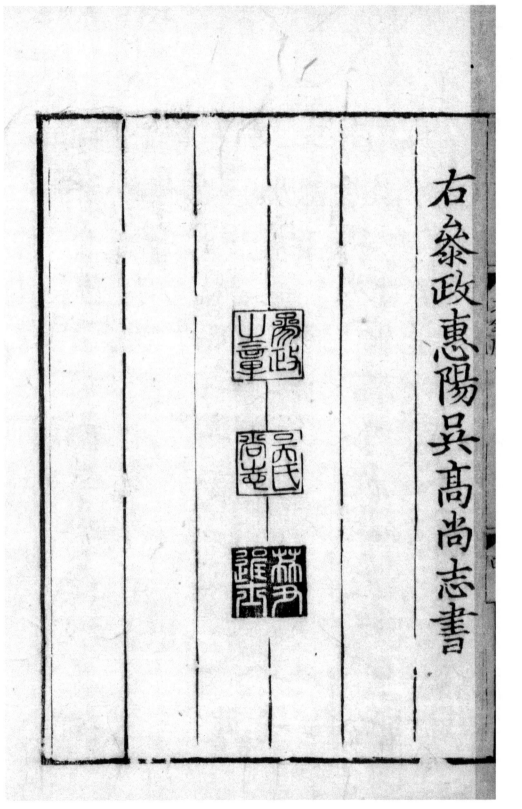

醫善專門方貴經驗古今方書傳於世者甚衆盖初學之士猶臨海問津焉能適從哉書林舊刋文江孫氏醫方集成後之名醫續增宣明捘萃等方又謂之大成是皆經歷効驗有不待試而百發百中者誠衛生之捷徑也然其方中證類

混雜分兩欠明俾我同志不無憾焉余自幼多病喜讀醫書暇日因取前方芟證歸類措方入條復選諸名方中有得奇効而孫氏未嘗採者與夫家世傳授之秘總彙成編凡二十四卷目之曰醫書大全各卷分門各門析類各類載方方

名之上次序順流以一二三四之數而標記之與目錄互相貫通使人展卷提其綱領而節目分明治病之際審其證候而方藥備具得無檢閱之繁庶免狐疑之患書成藏于家塾以供自治之需非敢謂之當也坊中好事者固請梓行與

衆共之余不能已因述其梗槩題
諸篇端云
正統十一年歲在丙寅暮春之初
鼇峰熊宗立道軒序

新刊名方類證醫書大全目録

鼇峯熊　宗立　道軒　編集

○卷之一

治諸風　附風論

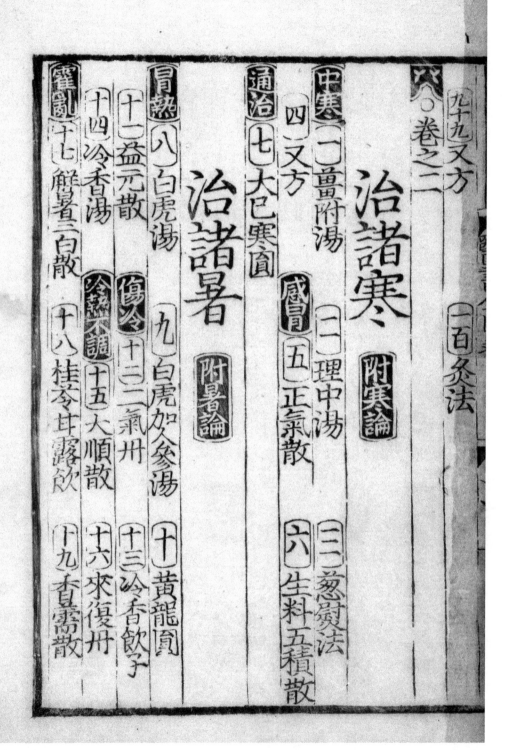

治諸濕　附濕論

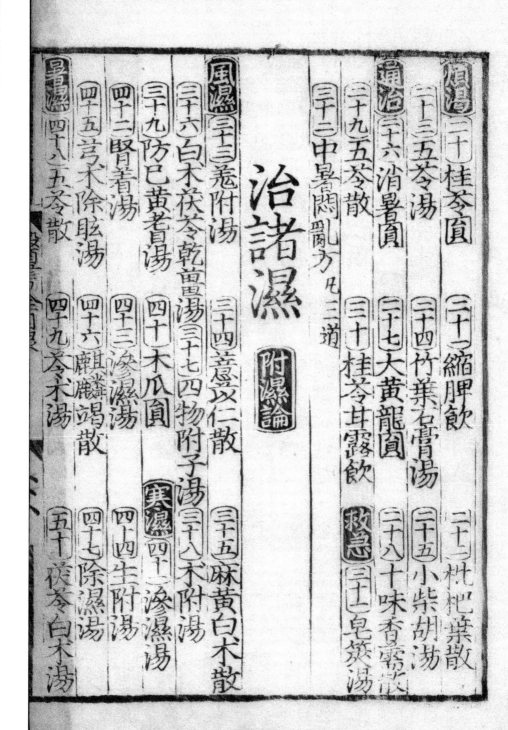

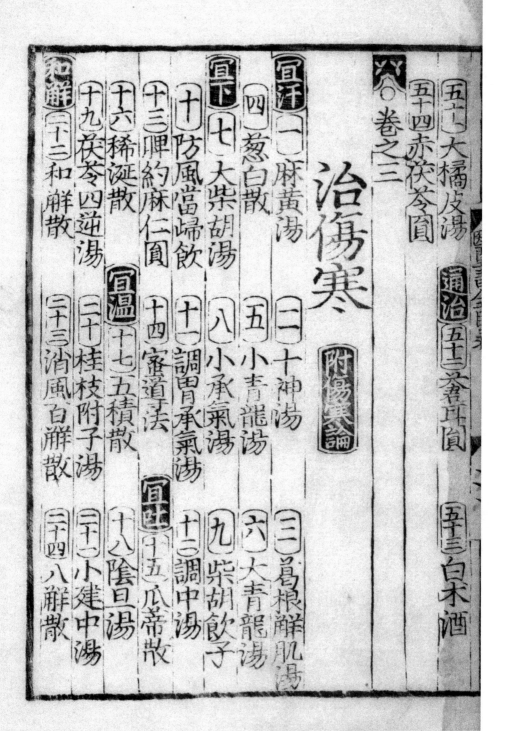

○卷之三

治傷寒 附傷寒論

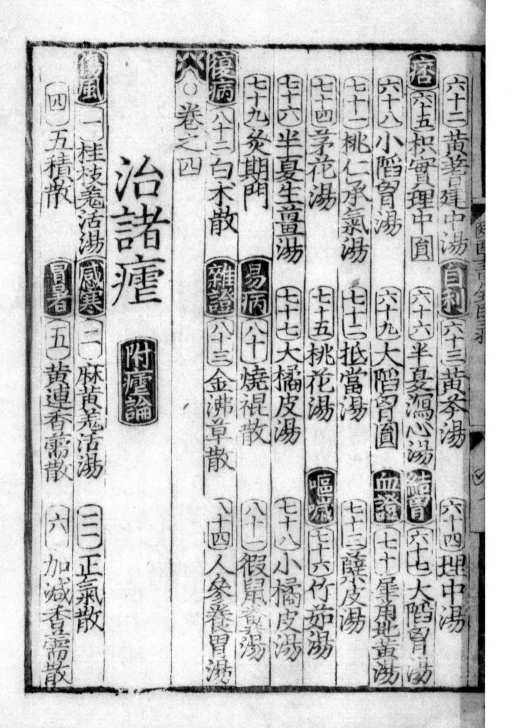

○卷之四

治諸瘧 附瘧論

治諸痢 附痢論

治嘔吐

附嘔吐論

卷之五

治泄瀉

附泄瀉論

風（一）胃風湯（二）火炊圓 寒（三）理中湯

（四）大藿香散 暑（五）加味五苓散（六）六和湯

（七）胃苓湯（八）五苓散（九）水浸丹

（十）來復丹 濕（十一）藿香正氣散（十二）戊巳圓

（十三）麯芎圓 熱瀉（十四）黃連香薷散（十五）一元散

冷瀉（十六）椒艾圓（十七）四柱散（十八）豆附圓

（十九）大巳寒圓（二十）厚腸圓（二十一）火輪圓

（二十二）禹餘粮圓（二十三）豆附圓（二十四）訶黎勒圓

脾泄（二十五）六君子湯（二十六）二神圓（二十七）四神圓

腎泄（二十八）五味子散（二十九）金鎖正元丹 滑泄（三十）豆蔻圓

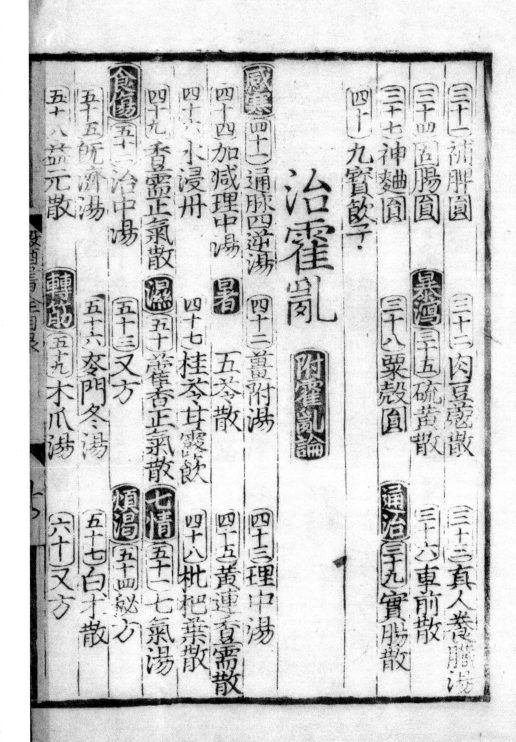

治霍亂

附霍亂論

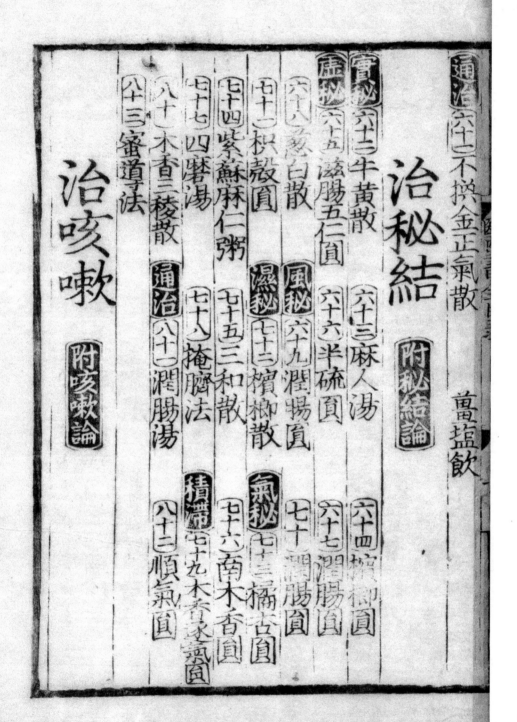

治秘結

治咳嗽

六　○卷之六

治痰飲

附痰飲論

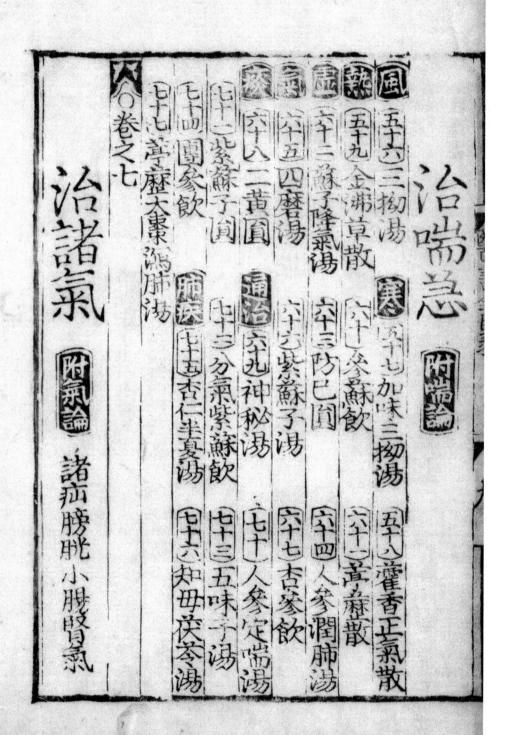

八○卷之八

治脾胃　附脾胃論

治翻胃　附翻胃論　五噎五膈

卷之九

治諸虛 附虛論

六〇　卷之十

治瘵　附瘵論

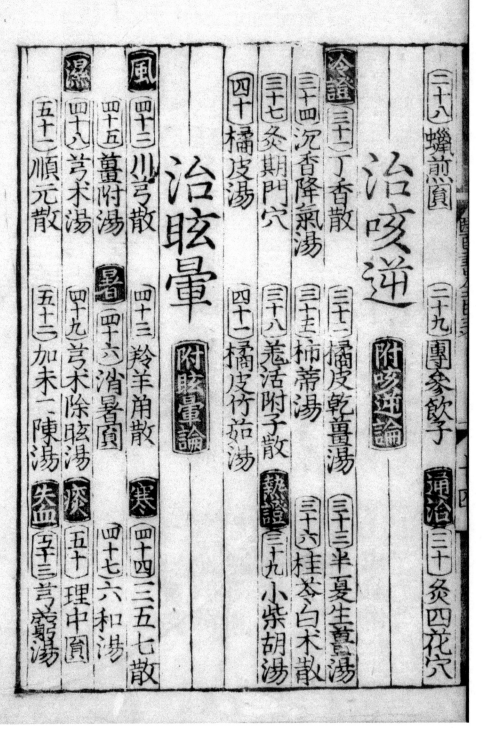

治咳逆

附咳逆論

治眩暈

附眩暈論

治五痺 附痺論

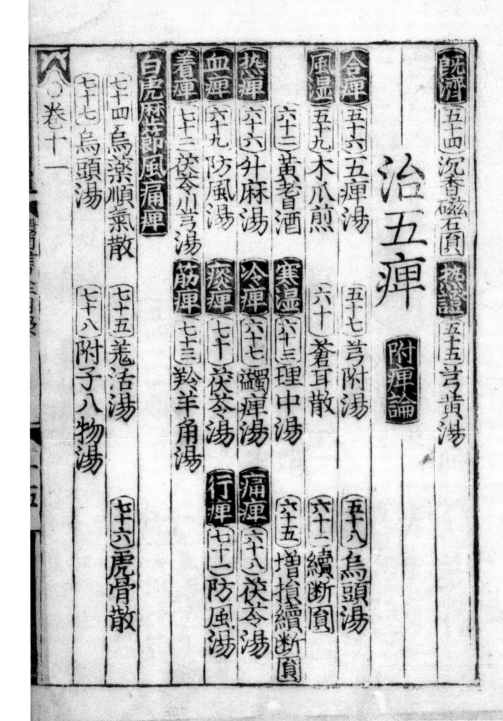

治頭痛 附頭痛論

治心痛

附心痛論

治腰脇痛 附腰脇論

治脚氣　附脚氣論

卷十三

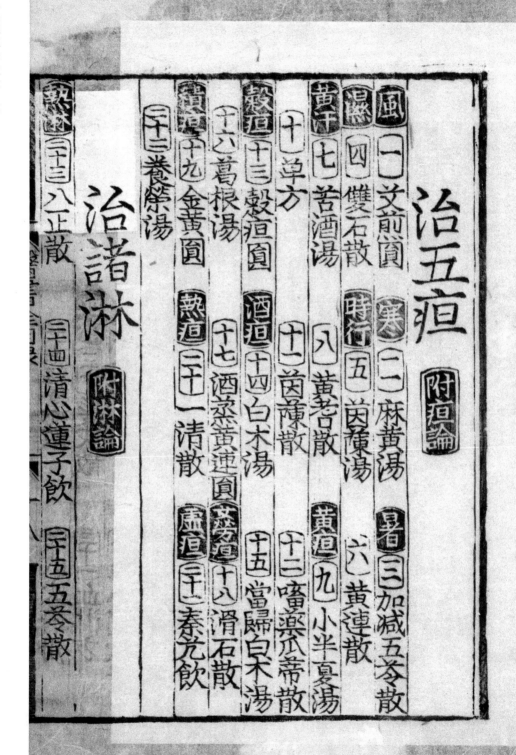

治五疸　附疸論

治諸淋　附淋論

治消渴　附消渴論

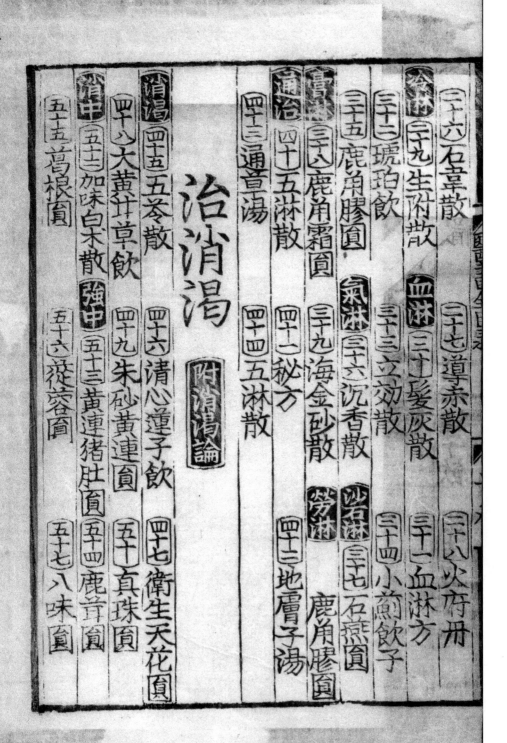

治赤白濁　附諸濁論

卷十四

治水腫 附腫論

治脹滿 (附脹論)

一 丁香脾積圓　二 感應圓　三 紅圓子
四 五百圓　五 黑圓子　六 如意圓
七 阿魏圓　八 神効感應圓　九 丁香爛飯圓
十 消痞圓　十一 木香枳朮圓　十二 三稜煎圓
十三 楠木湯

治自汗

附自汗論

傷風 十四 桂枝湯　風濕 十五 朮附湯　十六 防已黃耆湯
躰虛 十七 牡砺散　十八 黃耆建中湯　十九 黃耆湯
二十 撫芎湯　盜汗 二十一 麥煎散　二十二 防風散
二十三 白朮散　二十四 茯苓湯　二十五 大建中湯
虛脫 二十六 耆附湯　二十七 正元散　二十八 三建湯
通治 二十九 温粉　三十 紅粉

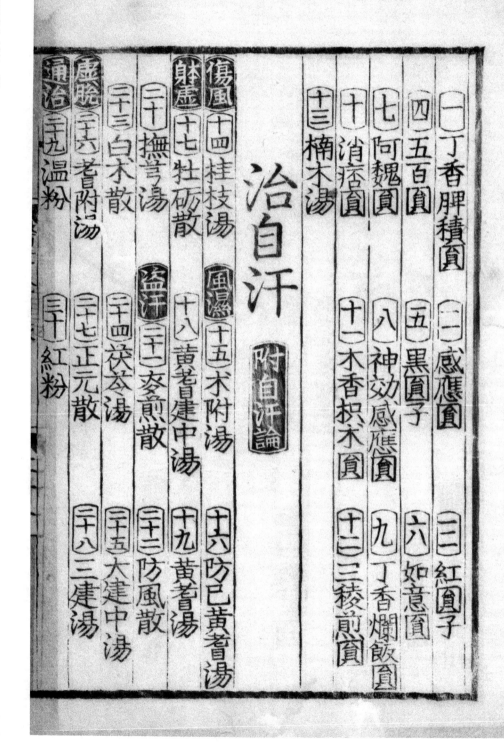

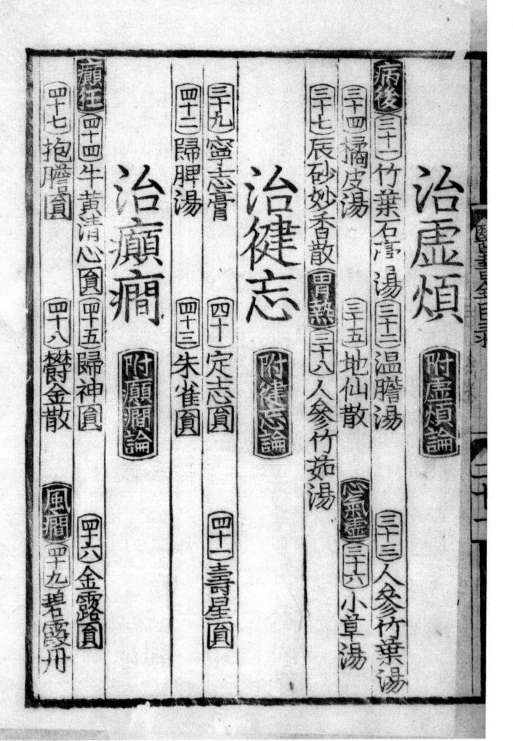

心熱 七十一 洗心散 七十二 八正散 七十三 碧雪

肝熱 七十四 消毒犀角飲 胃熱 七十五 龍腦雞蘇丸 七十六 甘露飲

肺熱 七十七 潤肺湯 腎熱 七十八 滋腎圓 風熱 七十九 荊黃湯

八十 涼膈散 八十一 清氣散 八十二 神芎圓

通治 八十三 三黃圓 八十四 龍腦飲 八十五 薄荷煎

八十六 酒蒸黃連圓 八十七 玄明粉 八十八 三黃湯

八十九 天竺散

○卷十六

治失血 附吐血咳血衄血論

吐血 一 茯苓補心湯 二 枇杷葉散 三 赤芍藥湯

四 固榮散 五 歸脾湯 六 三黃圓

七 大薊散 八 加味理中圓 九 蓮心飲

治下血 附下血論

治痔漏 附痔漏論

治脫肛 附脫肛論

治遺尿失禁 附尿論

六 ○卷十七

五臟內外所因 附五臟論

治眼目 附眼論

治耳 附耳論

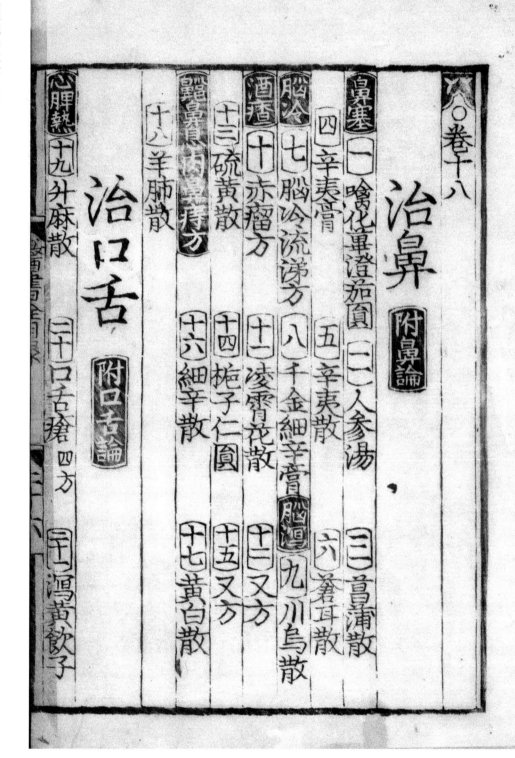

○卷十八

治鼻 附鼻論

治口舌 附口舌論

治牙齒

附牙齒論

治咽喉　附咽喉論　重舌

〔八十五〕麝香朱砂圓　〔八十六〕烏犀膏　【氣證】〔八十七〕五香散

【寒證】〔八十八〕蜜附子　【咽瘡】〔八十九〕絳雪散　〔九十〕牛蒡子湯

〔九十一〕利膈湯

治髮鬢

【澤潤】〔九十二〕犀皮湯　〔九十三〕洗髮菊花散　〔九十四〕三聖膏

〔九十五〕巫雲散　【染法】〔九十六〕染髮方

○卷十九

治癰疽瘡癤【附論】

【初發】〔一〕忍冬酒　〔二〕車螯散　〔三〕五香連翹散

〔四〕九珎散　〔五〕黄耆建中湯　【宣熱】〔六〕漏芦湯

〔七〕单煑大黄湯　【追毒】〔八〕狗寶圓　〔九〕追毒丹

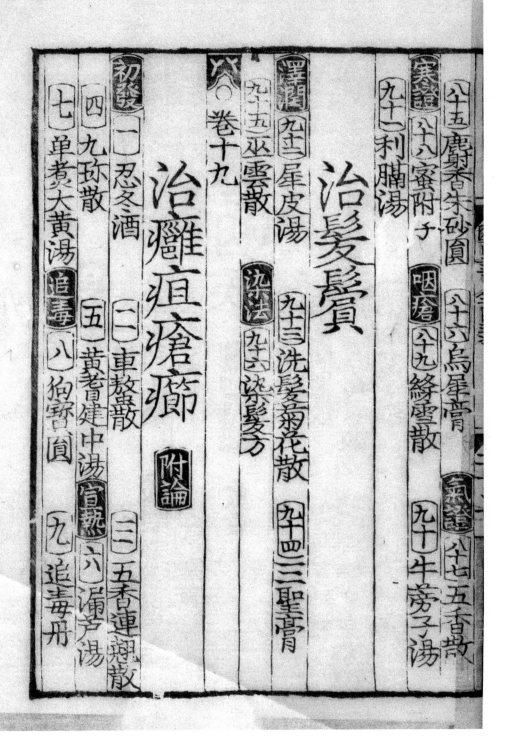

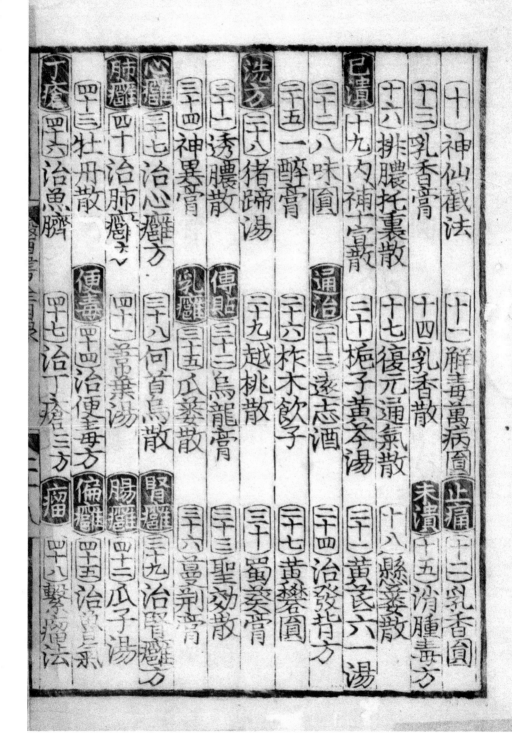

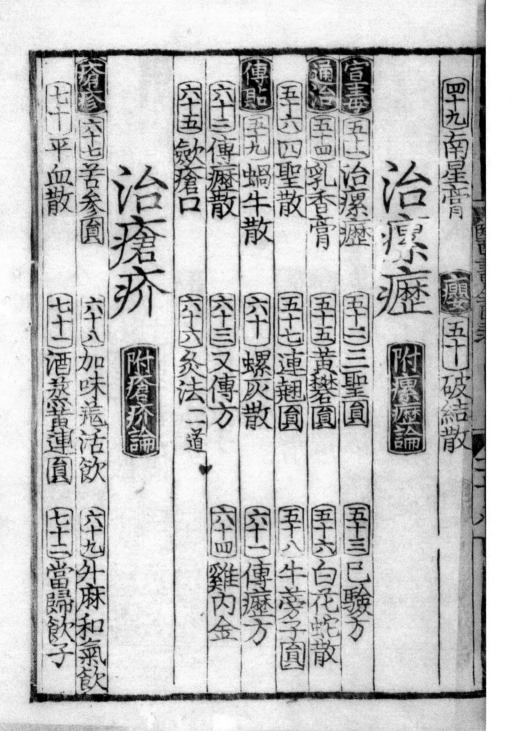

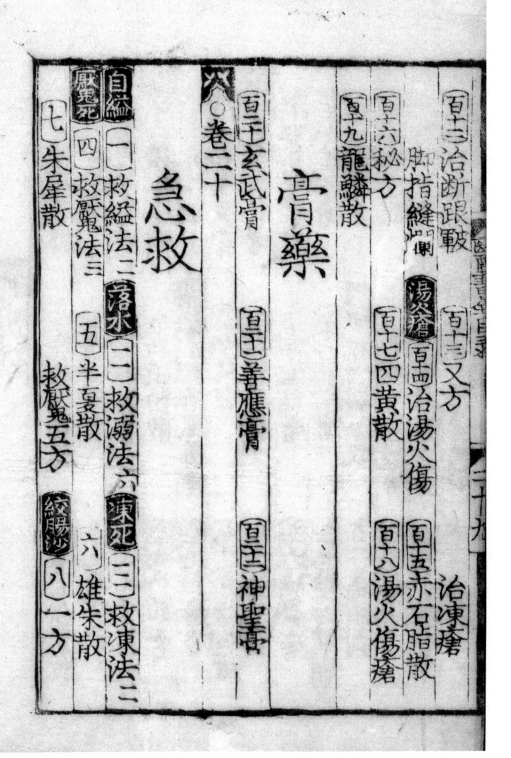

骨鯁

〔九〕骨鯁九方　〔十〕誤吞蜈蚣方　〔十一〕誤吞銅物

治折傷 附論

〔十二〕花蕊石散　〔十三〕没藥降聖丹　〔十四〕接骨散
〔十五〕補損當歸散　〔十六〕淋渫頑荊散　〔十七〕没藥乳香散
〔十八〕加味芎藭湯　〔十九〕雞鳴散　〔二十〕紫金散
〔二十一〕茴香酒　〔二十二〕木香調氣散　〔二十三〕打撲折手足
〔二十四〕折骨損斷方　〔二十五〕打撲傷損方　〔二十六〕走馬散
〔二十七〕應痛圓　〔二十八〕内托黄耆圓　〔二十九〕接骨方
〔三十〕筋骨痛斷方　〔三十一〕奪命散　〔三十二〕打撲折骨方
〔三十四〕秘方之二　〔三十五〕没藥散　〔三十六〕接骨散

治蠱毒 附蠱毒論

解諸毒

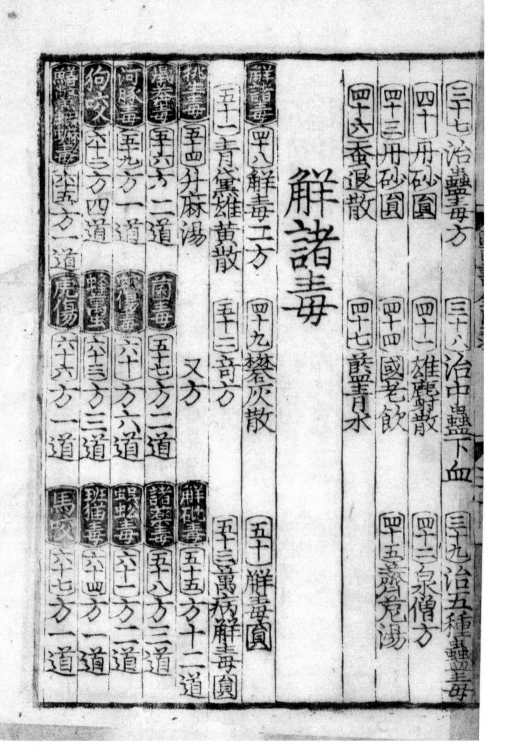

湯藥

卷二十一

婦人調經衆疾 附論

○卷二十二

産後 附論

六○卷二十三

小兒方

附論

名方類證醫書大全目錄畢

成化三年丁亥

熊氏種德堂刋

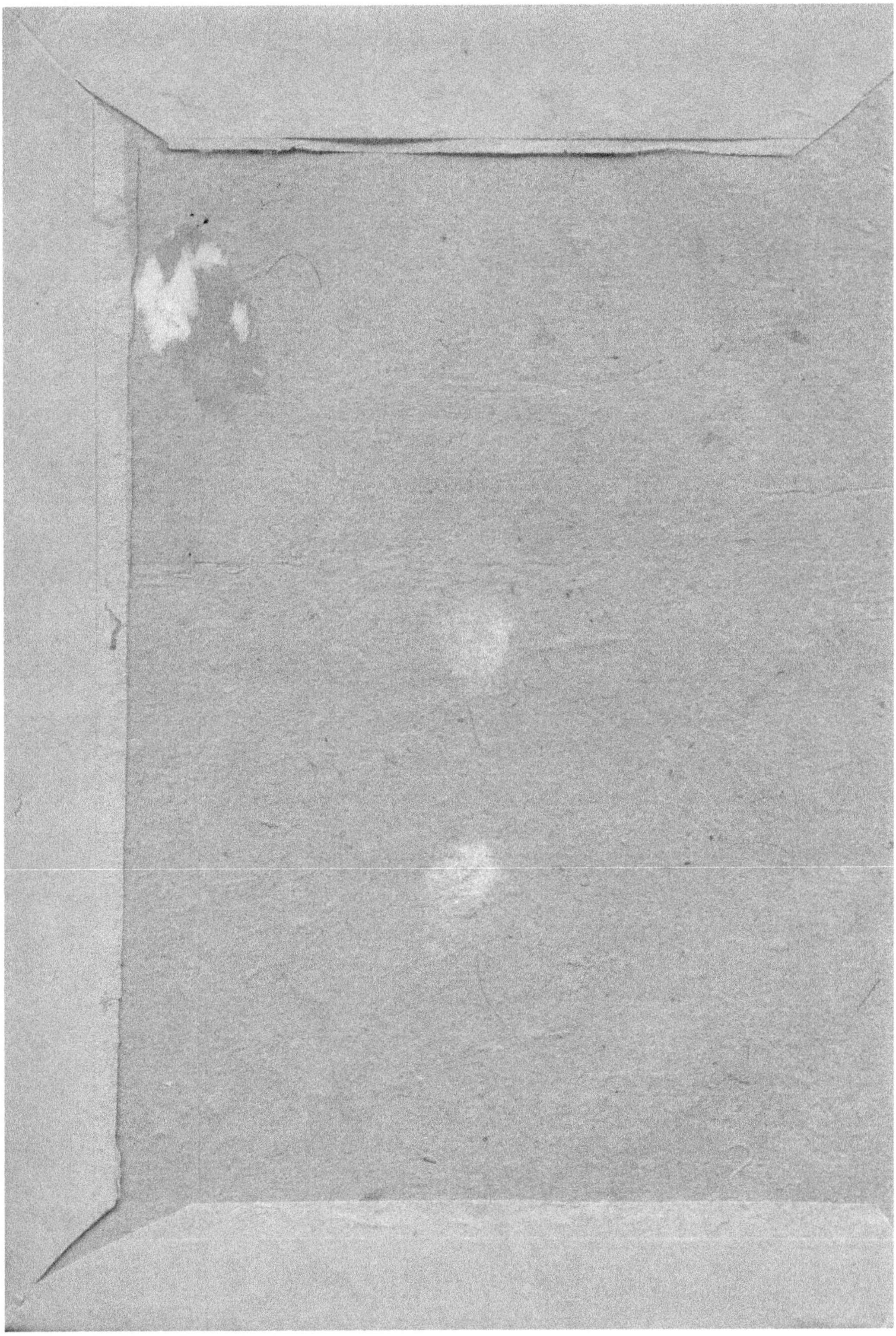

名方類證　二

新編名方類證醫書大全卷之一

鼇峯熊宗立道軒編集

風

風爲百病之長故諸方首論之岐伯所謂大法有四一曰偏枯半身不遂二曰風痱於身無痛四肢不收三曰風懿者奄忽不知人也四曰風痺者諸痺類風狀此特言其大槩而又有卒然而中者皆由氣体虛弱榮衛失調或喜怒憂思驚恐勞役以致眞氣耗散腠理不密邪氣乘虛而入及其中也重則半身不遂口眼喎斜肌肉疼痛痰涎壅盛或癱瘓不仁舌強不語精神恍惚驚惕恐怖治療之法當詳其脉證推其所感之原若中於肝者人迎與左關上脉浮而弦面目多青惡風自汗左脇偏痛中

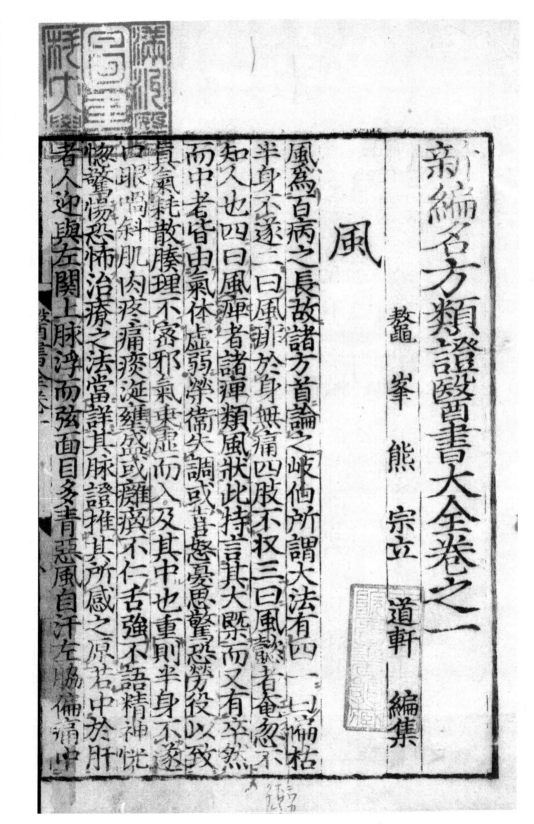

於心者人迎與左寸口脉洪而浮面舌俱赤翕又發熱瘖不能言中於脾者人迎與右關上脉浮微而遲四肢怠墮皮肉瞤動身躰通黄中於肺者人迎與右寸口脉浮濇而短面浮色白口燥多喘中於腎者人迎與左尺脉浮而滑面耳黒色腰脊痛引小腹隱曲不利中於胃者兩關脉並浮而大額上多汗膈塞不通食寒則泄凡此風證或挾寒則脉帶浮遲挾濕則脉帶浮濇二證俱有則从偏勝者治之用藥更宜詳審若因七情六淫而得者當先調氣而後治風邪此嚴氏至當之論倉卒之際救此急證宜先以皂角細辛搐入鼻內通其關竅次以蘇合香圓擦牙連進以生薑自然汁并三生飲俟其甦醒然後次第進以順氣之類排風續命之類所中在經絡脉微細者生入于臟腑口開手散眼合遺尿髮直吐沫搖頭直視聲如鼾睡者難治又有中之輕者在皮膚之間言語微蹇眉角牽引遍身瘡癬狀如虫

行目旋耳鳴又當隨證治之

（通治）**烏藥順氣散** 治男子婦人一切風氣攻注四肢骨節疼痛遍身頑麻凡卒中手足癱瘓言語謇澁者先宜多服此藥以踈氣道然後隨證投以風藥（一）

麻黄去根節二两　白殭蚕去絲嘴炒　川芎各一两

陳皮去白二两　枳殼去穰麩炒一两　乾姜炮半两　白芷

甘草炒　桔梗各一两　烏藥去木二两

右爲末每服三钱水一盞姜三片棗一个煎七分温服如憎寒壯熱頭痛肢体倦怠加葱白三寸同煎併服出汗或悶挫身体不能屈伸温酒調服遍身瘙痒抓之成瘡用薄荷葉煎服常服能踈風順氣

（二）**人參順氣散** 治感風頭疼鼻塞声重及一應中風者先宜服此藥踈通氣道然後進以風藥

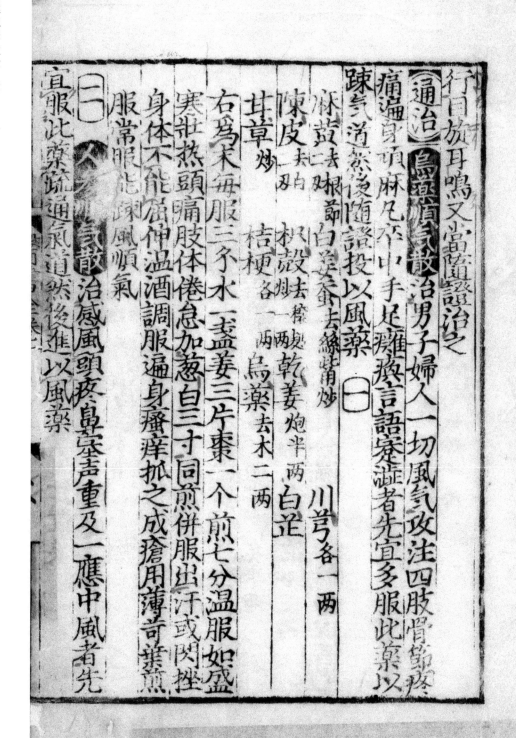

乾姜　人參各一两　川芎去芦　甘草炙
苦梗去芦　厚朴去皮姜製　白术去芦　陳皮去白
白芷　麻黄去節各四两　乾葛三两半
右㕮咀每服三钱水一盞姜三片棗一个薄荷五七葉同煎
八分不拘時热服如感風頭疼咳嗽鼻塞加葱白煎

〔三〕**八味順气散**　凡中風之人先服此藥順气次進治風藥
陳皮去白　天台烏藥　人參各一两　甘草炙半两
白术　白茯苓　青皮去白　香白芷各三两
右為細末每服三钱水一盞煎七分温服不拘時仍以酒化
蘇合香圓間服

〔四〕**大醒風湯**　治中風痰涎壅盛半身不遂歷節痛風筋脉拘急
天南星八两生用　防風四两生用　獨活生用　附子生去皮臍
甘草生用各二两　全蝎微炒一两

右㕮咀每服四錢水一盞姜十片煎八分温服

（五）**小續命湯** 治中風半身不遂口眼喎斜手足戰掉語言蹇澁

防己　肉桂去粗皮　黃芩　杏仁去皮尖炒黃

芍藥　甘草　芎藭　麻黃去根節

人參去芦各一兩　防風去芦一兩半　附子炮去皮臍半兩

右㕮咀每服三錢水一盞姜五片棗一个煎七分食前熱服

（六）**神效定風餅子** 治風客陽經邪傷腠理背膂強直言語蹇澁体熱惡寒痰厥頭痛肉瞤筋惕手顫鼻淵及飲酒過多嘔吐涎沫頭目暈眩常服消風去邪

川烏　南星　川芎　乾姜

甘草　半夏　天麻　白茯苓生用各等分

右為末姜汁圓如龍眼大作餅子生朱砂為衣每服一餅細嚼熱生姜湯下不拘時

〔七〕牛黃清心圓治諸風緩縱不隨語言蹇澁痰涎壅盛心忪健忘或發癲狂並皆治之

羚羊角末一兩　人參去芦二兩半　白茯苓去皮一兩二分半

芎藭一兩二分半　防風去苗一兩半　乾薑炮七分半　阿膠炒一兩七分半

白术一兩半　牛黃研一兩二分　麝香研一兩　犀角末二兩

雄黃研飛八分　龍腦研一兩　金箔一千二百箔內四百箔為衣

白芍藥一兩半　柴胡去苗一兩二分半　甘草剉炒五兩

乾山藥七兩　麥門冬去心一兩半　桔梗一兩二分半　黃芩一兩半

杏仁去皮尖雙仁麩炒黃一兩二分半別研　大棗一百個蒸熟去皮核研成膏

神麯研二兩半　大豆黃卷一兩七分半炒　白斂七分半

蒲黃二兩半炒　肉桂去皮一兩七分半　當歸去苗一兩半

右除棗杏仁金箔二角末及牛黃麝香雄黃龍腦四味別為細末入餘藥和勻煉蜜棗膏為圓每兩作十圓以金箔為衣

每服一元食後温水化下

〔八〕排風湯治中風邪氣入於五臟令人狂言妄語精神錯亂以至手足不仁痰涎壅盛

白鮮皮一两　當歸二两去芦　肉桂去粗皮　芍藥

杏仁去皮尖麸炒一两　麻黄三两　甘草　防風去芦各二两

芎藭二两　獨活去芦　茯苓去皮各三两　白术二两

右㕮咀每服三分水一盞姜四片同煎温服不拘時

〔九〕側子散治中風手足不隨言語蹇澁令用之累驗

側子一两炮　附子一两炮　羅參一两　白术一两煨

白茯苓去皮一分　防巳七分半　防風　麻黄　粉草五分炙

甘菊花去梗二两　北細辛去苗二两　肉桂一两去皮　赤芍藥一两

當歸去芦酒浸一两　川芎一两　秦艽一两去芦土　白茯神去皮木二两

右㕮咀每服五分水一盞半姜三片棗一个煎不拘時

（十）搜風大九宝飲治挾氣中風痰雖微去當先服此順氣併開其關竅不致枯廢然後進以風藥

天雄大附子代可 沉香 防風去芦 南星炮

薄荷葉 地龍去土 木香不見火 全蝎去毒各

右㕮咀每服兩錢姜五片水一盞煎熟入麝香啜服不拘時

（十一）匀氣散此方前代曾服有效風藥服之十三日安大可治腰腿疼半身不遂手足不能屈伸口眼喎斜風與氣中風中氣使用風藥治之十無一愈當以氣藥治之氣順則風散服之見効

白朮四兩煨 沉香五錢鎊 天麻一兩 天台烏藥二兩

青皮五錢去穰 白芷 甘草各五錢 人參去芦

右為㕮咀每服三錢水一盞半生姜三片紫蘇五葉木瓜三片棗子一枚煎至七分去滓空心温服

十二　皂角六一圓　疏風活血肌肉不緊實者最宜服之

川烏　草烏各一兩　天台烏藥二兩　烏豆一升

何首烏二兩　猪牙皂角五條湯泡去皮弦　烏梅蠶褐者去核五十个

右剉如指面大用无灰酒釅醋各二升浸一宿甆瓦銚內慢火煎乾取出晒焦揀何首烏一味別為末煮膏以六味焙乾碾末以前煮藥余酒醋及何首烏膏和圓每服三十圓酒下

十三　烏附丸　去風疏氣

川烏二十个　香附子半斤姜汁淹一宿炒

右焙乾為末酒糊為丸每服十數丸溫酒下肌体肥壯及有風疾者宜常服

十四　楊氏荊芥丸　治一切風邪上攻頭目咽膈不利或傷風發熱頭疼鼻塞声重並皆治之

荊芥穗十二兩　天麻去苗　附子炮　白附子炮

烏藥 當歸洗 川芎各 一兩

右爲細末煉蜜爲圓每一兩作十圓朱砂爲衣每服一圓食後細嚼茶清任下

(十五)烏荊圓 治諸風緩縱言語蹇澁遍身頑麻皮膚瘙痒又治婦人血風頭疼眼暈如腸風臟毒下血不止服之尤效

川烏炮去皮臍一兩 荊芥穗二兩

右爲末醋煮麫糊爲圓如梧桐子每服二十圓溫酒熟水下

(十六)直方白丸子 治風可常服求無風疾隔壅之患

大半夏湯泡七次 白附子洗淨略炮 天南星洗淨略炮 川烏頭去皮略炮

天麻 全蝎去毒炒 木香 枳殼去穰炒各一兩

右爲細末生姜自然汁打糊爲丸如梧桐子大每服一二十丸食後臨卧茶清熟水送下癱瘓風溫酒送下日進三服小兒驚風薄荷煎湯送下二丸

（十七）**大辰砂丸** 清頭目化痰涎及感冒風寒鼻塞聲重頭目昏眩項背拘急皮膚瘙痒並皆治之

天麻一兩去苗　防風二兩去芦　細辛半兩去土苗　薄荷葉半兩

川芎一兩　甘草一兩炙　白芷一兩　朱砂一兩為衣

右以七味為細末煉蜜丸如彈子朱砂為衣每服一丸細嚼食後生姜湯下茶清亦可

（十八）**千金保命丹** 治諸風瘈瘲不能語言心忪健忘恍惚去來頭目暈眩胷中煩鬱痰涎壅塞抑氣攻心精神昏憒又治心氣不足神志不定驚恐怕怖悲憂慘戚虛煩少睡喜怒不時或發狂顛神情昏乱及小兒驚癇驚風抽搐不定及大人暗風并羊顛猪顛發叫如雷此藥大能治之

朱砂一兩　真珠三分　南星一兩　麻黄去根節　白附子炮

雄黄　龍腦各半兩　琥珀三分　姜蚕炒　犀角　門冬子去心

枳殻　地骨皮　神曲　茯神　遠志去心

人參　柴胡各一兩　金箔一伯片　牛黄三分　天麻半兩

膽礬五分　腦子少許　射香少許　牙硝四分　毫車　天竹黄

防風　甘草　桔梗　白朮　升麻各一兩

蟬蛻各半兩　黄芩二兩　荆芥二兩　右爲細末煉蜜爲丸如彈子大每服一丸薄荷湯化下不拘時候忌豬羊蝦核桃動風引痰之物及諸生血更加大川烏炮去皮臍半夏生姜汁浸

白芷　川芎各一兩　豬牙皂角一兩　右和前藥作末爲丸

（十九）神栢散　治中風不省人事涎潮口噤語言不出手足戰曳得病之日便進此藥可使風退氣和不成廢人卒有此証無藥去処用之得力

栢葉一握去枝　葱白一握同根

右細切如泥用無灰酒一斗同煎一二十沸去查溫服無時

（三十）**去風丹** 治癱瘓風癲風大風一切諸風仍治腳氣并顛撲傷折及破傷風服過百粒即為全人尤能出汗

紫背浮萍以七月半旬或望日採擇淨者不以多少先以盆盛水以竹篩盛萍於水盆上晒乾研為末煉蜜丸如彈子大每服一粒豆淋酒空心食前化下

（虛證）**星附湯** 治中風痰壅六脈沉伏昏不知人（三十一）

附子生用去皮　天南星生用各一兩　木香半兩不見火

右㕮咀每服四錢水一大盞薑九片煎七分去滓溫服虛寒甚者加天雄川烏名三建湯痰涎壅盛聲如牽鋸服藥不下宜於關元丹田二穴多灸之

（三十二）**三生飲** 治卒中昏不知人口眼喎斜半身不遂并痰厥氣厥

南星一兩生用　川烏去皮生用半兩　附子去皮生用半兩　木香二錢半

右㕮咀每服五錢水二盞薑十片煎八分溫服不省人事者

以蘇合香圓擦牙灌以生姜自然汁

（二十三）三建湯 治中風虛極言語蹇澁手足偏廢六脉俱微者不可一向攻風止用此藥扶虛

天雄 附子 川烏各一兩並生用 木香半兩不見火 沉香旋磨水入

右㕮咀每服四錢水一盞半姜十片煎七分溫服

（二十四）附子湯 治中風挾寒手足不仁口眼喎斜牙關緊急

附子炮去皮臍 乾姜炮 桂心 人參

細辛去苗 防風去叉各半斤

右㕮咀每服四錢水一盞半姜五片棗一个煎七分食前服

（二十五）星附散 治中風雖能言口不喎斜而手足嚲曳者

天南星 半夏二味同姜汁製 黒附子 白附子 白茯苓

川烏 白姜蚕 沒藥 人參各等分

右㕮咀每服三錢水酒各一盞煎八分熱服并進得汗為愈

二十六 **雄附醒風湯** 治中风涎潮牙關緊急不省人事

附子一个七夊重 天雄一个 南星一个略一两重並生用去皮臍 蝎梢半两

右㕮咀每服五夊水一盞半姜七片煎七分不拘時

二十七 **羌活散** 治中風偏廢

附子一个 羌活 乌藥各一两

右㕮咀每服四夊水一盞煎七分去滓温服

二十八 **是齋回陽湯** 治風中氣中手足癱緩口眼喎斜言語蹇澁

川乌炮 益智 附子一个七八夊重者生用 乾姜各一两 青皮半两

右㕮咀每服半两水二盞姜十片棗一个塩少許空心温服

二十九 **真珠圓** 治肝虛為風邪所干卧則魂散而不守狀若驚悸

真珠母三分研細同碾 當歸 熟地黄各一两半

人参 酸棗仁 柏子仁各一两 犀角

茯神 沉香 龍齒各半夊

右爲末煉蜜爲丸如梧桐子辰砂爲衣每服四五十丸金銀薄荷湯食後吞下

〔三十〕八寶回春湯 治一切諸虛不足風疾血氣交攻脉絡凝滯拘急攣拳氣不外降癱瘓中疼痛痰涎壅盛脾胃不和飲食不進此藥去風和氣活血大有神効凡治風不可專用風藥攻之愈急則愈甚服此輕者一月重者二三月自然愈矣

附子炮 人參 麻黄去節 黄芩

防巳 香附子去毛 杏仁 川芎

當歸 茯神去木 陳皮 防風各一錢

白芍藥五錢 沉香 川烏炮各半 半夏錢半

肉桂一錢 白朮二錢 烏藥 乾姜各一兩

黄芪三兩 甘草 熟地黄 生乾地黄各一两

右二十四味八味去風八味和氣八味活血同剉散每三錢

水一盞半姜三片棗一枚煎空心服

【熱証】【四白丹】能清肺氣養魄中風多昏冒氣不清和【三十一】

白术　白茯苓　白芷各一錢　白檀一分半　人參

縮砂　香附子　甘草　防風　川芎各半兩

知母二分　羌活　薄荷　獨活各二分半　細辛二分

麝香一分另研　牛黃半分另研　藿香一分半　甜竹葉二錢　龍腦半分另研

右爲細末煉蜜爲丸每兩作十丸臨卧嚼一丸煎愈風湯嚥

下能上清肺氣下強骨髓

【三十二】【川芎石膏湯】治風熱上攻頭目眩痛咽乾煩渴

川芎　芍藥　當歸　山梔子　甘草各三錢

黃芩　大黃　菊花　荊芥穗　防風

人參　白术各半兩　滑石四兩　寒水石二兩　連翹

薄荷葉各一兩　縮砂仁三分　石膏　桔梗各二錢

右爲末每服二錢水一盞煎食後服熱甚者冷水調下

〔三十三〕防風通聖散

防風　川芎　當歸　芍藥

大黃　薄荷葉　麻黃　連翹

芒硝盆硝是以上各半兩　石膏　黃芩　桔梗各一兩

滑石三兩　甘草二兩　荊芥　白朮　梔子各一分

右爲末每服二錢水一大盞生姜三片煎至六分溫服涎嗽

加半夏半兩製　如服藥不可無生姜同煎

曹同知通聖散

防風　芍藥各二錢半　甘草　滑石各三兩

薄荷　黃芩　石膏　桔梗各一兩

川芎　當歸　大黃　麻黃

連翹各半兩　荊芥三錢半　白朮　山梔子各一分

无芒硝　无縮砂

庭瑞通聖散 有縮砂无芒硝其餘皆同緣庭瑞於河間守眞先生得師傳之秘從二年始受於方斯可取爲端而可准憑以用之兼庭瑞以用治病百發百中何以疑之因録耳以前藥庭瑞煸時以意加減一依前法嗽加半夏半两生姜製

（三十四）消風散 治諸風上攻頭目昏眩項背拘急鼻嚏声重耳作蟬鳴及皮膚頑麻瘙痒癮疹婦人血風頭皮腫痒並治之

荊芥穗　甘草炒各二两　陳皮去穣洗焙半两

人參去芦　茯苓去皮　白僵蠶洗炒　防風去芦　芎藭

藿香葉　蟬蛻去土炒各二两　厚朴去粗皮姜製半两　羌活一两

右爲末每服二𠀋感風頭疼鼻流清涕者用荊芥湯茶清調下遍身瘡癬温酒下

（三十五）八風散 治風氣上攻頭目昏眩肢体拘急皮膚瘙痒癮

疹成瘡及治寒壅不調鼻塞声重

藿香半斤去土　白芷一斤　前胡一斤去芦　黄耆去芦二斤

甘草炙二斤　人參二斤去芦　羌活三斤去芦　防風去芦三斤

右為末每服二錢水一盞入薄荷少許食後溫服茶清亦可

〔三十六〕川芎茶調散　治諸風上攻頭目昏重偏正頭疼鼻塞声重

薄荷去根不見火八兩　川芎四兩　羌活二兩　甘草二兩

細辛去葉二兩　防風去芦兩半　白芷二兩　荊芥去根四兩

右為細末每服二錢食後茶清調下常服清頭目

〔三十七〕生朱丹　治諸風痰盛頭痛目眩氣鬱積滯胷膈不利

石膏燒通紅令冷半斤　白附子炮去皮半斤　朱砂一兩二錢半　龍腦一字

右為末燒粟米飯為圓如小豆大朱砂為衣每服三十圓食

後茶酒任下

〔三十八〕羌活愈風湯　治腎肝虛筋骨弱語言難精神昏憒及治

風湿内弱風热躰重或瘦一肢偏枯或肥而半身不遂心乱則百病生静則萬病息是以此能安定心養神調陽無偏勝

羌活　甘草炙　防風去芦　黄芪去芦　人参去芦

蔓荊子　川芎　細辛去苗　枳殻麸炒去穰　地骨皮去骨

麻黄去根　知母去皮　甘菊　薄荷去枝　枸杞

當帰去芦　獨活　白芷　杜仲炒去絲　秦艽去芦

柴胡去苗　半夏湯洗姜製　厚朴姜製　防巳　熟地黄各二两

芍薬去皮　黄芩各三戔　石膏四两　生地黄四戔　白茯苓去皮三两

蒼术四两　桂一两　前胡二两

右剉每服一两水二錢煎至一盞去滓温服如遇天陰加生姜三片煎空心一服臨卧再煎滓服更有四時加減法詳見袖珍方一卷

三十九　家藏方獨活散　消風化痰治頭目眩暈

細辛去䕺土一　石膏研　甘草炙各半两　防風去芦

藁本去土　旋覆花　蔓荊子　川芎　獨活各去芦一两

右爲細末每服二钱水一大盞姜三片煎七分食後熱服

四十　家藏方防風散　治頭目不清常服去風明目

防風去芦　川芎　香白芷　甘菊花　甘草炙

右各等分爲末每服二钱食後荊芥湯調下

四十一　清神散　消風化痰治頭目眩耳鳴鼻塞咽嗌不利

檀香剉十两　人参去芦十两　羌活去苗十两　細辛去苗洗焙五两

薄荷去土二十两　荊芥穗去土二十两　甘草㶕二十两　石膏研五两　防風去芦十两

右爲細末每服二钱沸湯食後點服或入茶末尤好日進二三服

四十二　上清散　治因風頭痛眉骨眼眶俱痛不可忍者

川芎　鬱金　芍藥　乳香　荊芥穗

没藥各一钱　腦子半钱　薄荷葉　芒硝各半两

右爲細末每服用一字鼻內搐

四十三 **防風湯** 治中風挾暑卒然暈倒口眼喎斜

防風　澤瀉　桂心　杏仁麵炒去皮尖

乾姜炮　甘草炙各等分

右㕮咀每服四錢水盞半煎七分食前服

四十四 **星香湯** 治中風痰盛服熱藥不得者

南星八錢　木香一錢

右㕮咀每服四錢姜十片水一大盞煎七分溫服

四十五 **防風天麻散** 治風麻痺走注肢節疼痛中風偏枯或暴瘖不語內外風熱壅滞解昏眩

天麻　防風　草烏頭　甘草　川芎　羌活

當歸焙　香白芷　荊芥穗　香附子炒半　滑石二兩

右爲末熱酒化蜜少許調半錢加至一錢覺藥力運行微麻

為度或煉蜜為丸如彈子大熱酒化下一丸或半丸細嚼白湯化下亦得散鬱結宣氣逆如甚者更服防風通聖散

〔四十六〕天麻散 治頭項痛頭面腫拘急風傷榮衛發燥熱

川芎 苦參 地骨皮 細辛 威靈仙 甘草炙二兩

何首烏 薄荷葉 蔓荊子 菖蒲 天麻一兩

杜蒺藜 虼蛻草 荊芥穗 牛蒡子 防風以上各半兩

右為末每服二三錢用蜜水調下茶酒任不計時候

〔四十七〕人參羌活散 治風壅痰實頭目昏暈遍身拘攣頭項強急肢節煩疼壯熱煩渴

前胡 羌活 人參 防風

天麻 赤茯苓 蔓荊子 薄荷葉

川芎 粉草 黃芩 枳殼

桔梗 川獨活各一兩

右剉散每服四分姜三片桑白皮七寸煎不拘時

急救　禹攻散　治卒暴昏憒不知人事牙關緊硬藥不下咽

黑牽牛末一分　茴香二分半

右用生姜汁調少許灌鼻中立醒一方用牽牛木香尤妙

又方　治卒暴痰飲風涎不省人事　四十八

右用生麻油一盞灌入喉中須臾逐出風痰立醒然後隨証用藥

四十九　解毒雄黃丸　治中風卒然倒仆牙關緊急不省人事幷解上鬲壅熱痰涎不利咽喉腫閉一應熱毒

鬱金二分半　巴豆十四个去皮油　雄黃研飛二分半

右爲末醋煮麪糊爲圓如菉豆大每服七圓用熱茶清下吐出頑涎立甦未吐再服如牙關緊閉灌藥不下者即以刀尺鉄匙斡開口灌下

（五十）**家藏奪命散** 治卒暴中風涎潮氣閉牙關緊急眼目上視破損傷風搐搦潮作及小兒急驚風證並皆治之

甜葶藶　香白芷　天南星　半夏湯洗去滑

巴豆去殼不去油 五味各等分並生用

右爲細末每服半錢用生姜自然汁一呷調下牙關緊急湯劑灌不下者此藥輒能治之小兒以利痰或吐爲愈

（五十一）**救急稀涎散** 治中風四肢不收涎潮膈塞氣閉不通

光明晉礬二兩　猪牙皂角四兩肥實不蛀者去黑皮

右爲細末研勻每服一錢至二錢溫水調下

（痰涎）**青州白元子** 治男子婦人手足癱瘓風痰壅盛嘔吐涎沫及小兒驚風並皆治之

（五十二）

白附子二兩生用　半夏白好者水浸洗過七兩生用　天南星二兩生用

川烏頭去皮臍半兩生用

右搗羅為末以生絹袋盛於井花水內擺出未出者更以手揉令出以滓更研再入絹袋擺盡為度放甆盆中日曬夜露每日一換新水攪而復澄春五日夏三日秋七日冬十日去水曬乾如玉片碎研以糯米粉煎粥清爲圓如菉豆大常服二十圓生姜湯下不拘時如癱瘓風以溫酒下如小兒驚風薄荷湯下三五圓

（五十三）**苦丁香散** 治風涎暴作氣塞卧倒或有稠涎諸藥化不下者

右用甜瓜蒂 即苦丁香 日乾為末每用一二錢入輕粉一字以水半合調勻灌之良久涎自出如涎未出噙沙糖一塊下藥涎即出不損人

（五十四）**驚氣圓** 治心受風邪涎潮昏塞牙関緊閉醒則精神若癡及驚憂積氣並皆治之

乾蝎去□尾毒微炒一分　紫蘇子炒一兩　附子去皮　麻黄去根節

花蛇酒浸炙熟去皮骨各半兩　朱砂研一分半為末　南木香一兩

天麻去苗　天南星浸洗薄切姜汁浸一夕各半兩　橘紅一兩　白僵蚕炒半兩

右為末入腦麝少許同研極勻煉蜜杵圓如龍眼大每服一圓用金銀薄荷湯化下或温酒亦可

〔五十五〕加減青州白元子　治卒中風邪半身不遂口眼喎斜痰涎閉塞及小兒諸風並皆治之

白附子　天南星　半夏　川姜各二兩

天麻　白僵蚕　全蝎各一兩　川烏頭去皮尖半兩

右為末醋糊為圓如梧桐子每服三十圓温酒下不拘時

〔癱瘓〕〔五十六〕四生圓　治中風左癱右瘓口眼喎斜

川烏去皮　五靈脂　當歸　骨碎補各等分

右為末用无灰酒打糊圓如梧桐子每服十圓加至十五圓

温酒下服此藥不可服靈宝丹

〔五七〕和劑方　左經圓　治中風左癱右瘓手足顫掉言語謇澁

草乌炮四两　川烏炮二两　乳香研　没藥各一两

生乌豆一升以斑猫二十一个去頭足同煮候豆肥為度去斑猫取豆焙乾入藥

右並生用為細末麪糊為圓如梧桐子每服三五十圓生湯下不拘時如癱風温酒下如小兒驚風薄荷湯下

〔五十八〕大鉄弾圓　治諸癱瘓

川烏一两半炮去皮臍　乳香　没藥各一两

生麝一分　川五灵脂四两

右為末滴水丸弾子大每服一丸薄荷酒磨下

〔喎斜〕〔五九〕牽正散　治中風口眼喎斜半身不遂

白附子　白殭蚕　全蝎去毒並生用

右等分為末每服二钱热酒調下不拘時

六十 豨薟圓 治中風口眼喎斜時吐涎沫語言謇澀手足緩弱

豨薟草一名火杴草生於沃土間帶猪苓氣者是

右五月五日六月六日收採洗去土摘其葉不拘多少九蒸九曝每蒸用酒蜜水洒之蒸一飯久曝乾爲末煉蜜圓如梧桐子每服百圓空心温酒米飲任下

六一 是齋方三聖散 治中風手足拘攣口眼喎斜脚弱行步不正

當歸洗炒　肉桂去粗皮　玄胡索微炒並爲末各等分

右每服二錢空心温酒調下

六十二 省風湯 治中風痰涎壅盛口眼喎斜半身不遂

半夏生用　防風各一兩　甘草炙半兩　全蝎去毒三个

白附子生用　川烏生用　木香　天南星生各半兩

右㕮咀每服半兩水一盞薑十片煎温服

六十三 天仙膏 治卒中風口眼喎斜

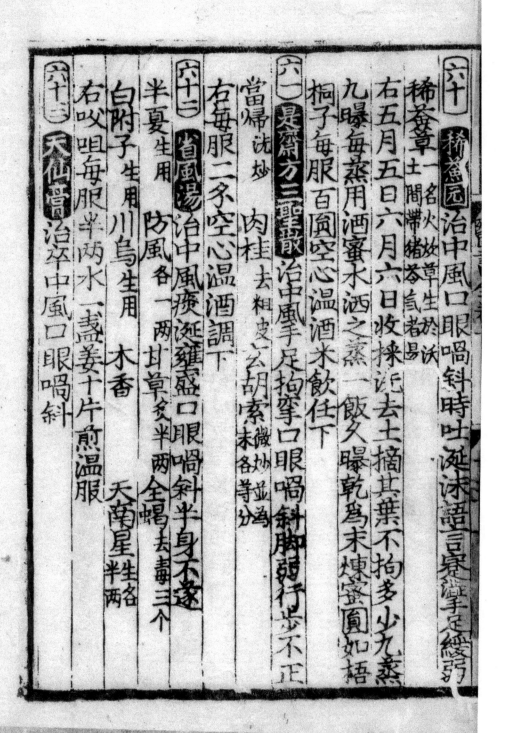

南星一个大者　白及一錢　草烏一个大者　僵蚕七个

右爲末用生鱔魚血調成膏傅喎處覓正便洗去

又方　灸法治口喎斜

耳垂下麥粒大艾炷三壯左灸右右灸左

不語　獨活散　治風懿不能言四肢不收手足嚲曳　六十四

白芍藥　括蔞根　獨活　桂心各二两　甘草三分

右㕮咀每服四錢姜五片水一盞煎入生葛汁一合和服

六十五　小竹瀝湯　治中風涎潮不語四肢緩縱不收

秦艽去蘆土　防風去芦剉　附子炮去皮臍　獨活各一錢

右水四盞煎二盞入生地黃汁竹瀝各半盞煎分四服

六十六　資壽解語湯　治心脾中風舌強不語半身不遂

附子炮　防風去芦　天麻　酸棗仁各一两

羚羊角屑　官桂各七錢半　甘草　羌活各半两

右㕮咀每服四絫水一盞煎八分去滓入竹瀝兩匙再煎數沸溫服无時并載取竹瀝法用笙竹數竿截長一尺餘許劈破作片用磚兩口對立置竹在上其下着火磚外兩頭各置盞以盛竹瀝瀝盡以絹濾澄清夏秋須沉冷水中防瀝酸大熱有風疾人亦可单服冷暖隨意勿過度剃柴燒瀝法同

六十七 正舌散 治中風舌本强難轉語

蝎稍去毒一分 茯苓一兩 龍腦薄荷二兩焙

右為末每服二錢溫酒下或擦牙頰亦可

六十八 獨行散 治失音不語

槐花一味炒香熟三更后床上仰卧隨意服亦治咯血

麻痺 六九 治十指疼痛麻木不仁

附子 木香各等分

右㕮咀用姜如常法煎木香隨氣虛實加減足弱去附子用

烏頭

(七十)加減三五七散治八風五痺肢躰不仁大治風寒入腦陽虛頭痛畏聞人聲目旋運轉耳內蟬鳴應濕痺脚氣緩弱並治

山茱萸去核三斤　細辛一斤半　乾姜炮三斤　防風去芦四斤

附子三十五隻炮去皮臍　茯苓去皮三斤

右為細末每服二錢溫酒食前調服

(七十一)五痺湯治風寒濕氣客留肌躰手足緩弱麻頑不仁

片子姜黃一兩洗去灰土　羌活　白朮

防已各一兩　甘草微炙半兩

右㕮咀每服四錢水盞半姜七片煎八分去滓病在上食後服病在下食前服

(七十二)家藏方蠲痺湯治風濕相搏身体煩疼手足冷痺四肢沉重

黃芪蜜炙　防風去芦各二兩半　甘草炙半兩　羌活

赤芍藥　薑黃　當歸酒浸各二兩

右㕮咀每服三錢水一盞半薑五片煎七分溫服

〔七十三〕烏頭湯治風寒冷溫留延筋脉拘攣不得轉側

大烏頭　細辛　川椒　甘草

秦艽　附子　官桂　白芍藥各七分

乾薑　白茯苓　防風　當歸各一兩川獨活一兩三錢半

右㕮咀每服三錢水一盞棗二枚煎空心服

〔七十四〕木瓜煎治肝腎二臟受風筋急項強不可轉側攣痺

宣州木瓜兩个取蓋去穰沒藥二兩研乳香一分研

右二味入木瓜内用蓋子合了竹簽定之飯上蒸三四次研

爛成膏子每服三五匙用生地黃汁半盞无灰酒一盞拌和

煖熱化膏吞下

〔七十五〕神授圓方見勞瘵門治諸風痺半身麻木兼治白虎歷

節痛甚肉理枯虛生虫遊走痛痒

（七十六）**解風散**服之治風成寒熱頭目昏眩肢躰疼痛手足皆麻痺上膈壅滞

人參　川芎　獨活　麻黃去節各一兩湯泡

細辛去苗半兩　甘草

右爲末每服三錢水一盞半生姜五片薄荷葉少許同煎至八分不計時候

（癘痒）**虎骨散**治風毒邪氣乘虛攻注經絡之間痛无常処晝静夜甚筋脉拘攣不得屈伸（七十七）

蒼耳子微炒三兩　五加皮一兩　骨碎補三兩　虎脛骨二兩酥炙　没藥

當歸去苗各三兩　天麻一兩　自然銅醋淬細碎　防風去苗

肉桂去粗皮各三兩　敗龜二兩酥炙　騏驎竭細研　白芷　赤芍藥

白附子炮各二兩　檳榔一兩　羌活一兩去蘆　牛膝去苗一兩

右為末入研藥令勻每服一分溫酒調下不拘時

七十八　七聖散　治風溼流注經絡間肢節緩縱不隨或脚膝疼痛

續斷　獨活　防風　杜仲

萆薢　牛膝　甘草

右件修事焙乾各等分為細末每服二分溫酒調下

七十九　追風散　治諸風上攻頭疼目眩鼻塞聲重皮膚瘙痒眉角牽引婦人血風及一切頭風並治之

白僵蚕去絲觜炒二兩　川烏炮四兩　防風去蘆叉四兩　石膏爛研四兩

全蝎炒二兩　川芎三兩　麝香一兩研　甘草炙二兩　荊芥二兩

右為末每服半錢食後臨臥茶調下

八十　四生散　治男子婦人肝腎風毒上攻眼赤痒痛羞明多淚下疰脚膝生瘡及遍身風癬兩耳內痒服之尤效

黃耆　川羌活　蒺藜　白附子並生用

右等分爲細末每服二錢薄荷酒調下如腎臟風下疰生瘡以猪腰子批開入藥末二錢在內合定裹煨熟空心細嚼用塩酒下

（八十一）蠲痛圓治諸風歷節疼痛腫滿

川烏生用一兩　黑豆生去皮七十粒　全蝎去毒二七个　麝香研半錢　地龍去土半兩

右爲細末酒糊爲圓如菉豆大每服十五圓至二十圓臨卧用冷酒吞下微汗不妨

（八十二）趂痛圓治走注歷節諸風軟痛卒中倒地跌蹼傷損

草烏頭三兩不去皮　熟地黄或生者翻用　南星

半夏麴　白僵蚕　烏藥各半兩並日乾

右爲末酒糊爲圓如梧桐子大日乾每服五七圓空心温酒下如跌蹼傷損姜汁和酒研十数圓塗傷処如卒中倒仆姜汁茶清研五七圓灌下立醒本事方謂是大智禪師方

（八十三）貼傅芫花散 治臂腿間忽一兩點痛着骨不可忍
芫花根研爲末米醋調隨大小傅之
（八十四）枳實酒 治遍身白疹瘙痒不止蓋風邪客於肌膚相搏
凝滯而成瘖天色冷則重天晴暖則輕用此神効更宜服烏藥
順氣散
枳實麩炒黄切剉散每服二大錢用酒浸少時去枳實但飲
最妙然後用枳實煎朮洗患処佳
（偏枯）虎脛骨酒 治中風偏枯四肢不隨一切諸風攣拳者並治
石斛去根　石楠葉　防風去芦　虎脛骨酥炙
當歸去芦　茵芋葉　杜仲剉炒　川牛膝去芦　川續斷
芎藭　金毛狗脊燎去毛　川巴戟去心各一兩
右件剉如豆大以絹囊盛藥用酒一斗漬之十日每服一盞
盪熱服不拘時　（八十五）

（八十六）**全生虎骨散** 治半身不遂肌肉乾瘦名曰偏枯忌用麻黄發汗恐津液枯竭惟當潤筋去風

當歸二两　赤芍藥　川續斷　白朮

藁本　虎骨各一两　烏蛇肉半两

右為末每服二錢溫酒食後調下骨中疼痛加生地黃一两臟寒自利者加天雄半两

（鶴膝）**大防風湯** 去風順氣活血壯筋又治痢後脚痛緩弱不能行履名曰痢風或兩膝腫痛脚脛枯腊名曰鶴膝風（八十七）

熟地黃洗二两　白朮二两　羌活去芦一两　人參去芦一两

川芎洗　附子炮去皮臍各一两半　防風去芦二两

牛膝去芦酒浸一两　川當歸去芦酒浸焙一两　黄芪去芦二两炙

白芍藥二两　甘草一两　杜仲去粗皮炒令絲斷二两

右㕮咀每服四錢水盞半姜七片棗一枚煎八分食前溫服

〔雞爪〕治雞爪風手口搖動不能拿物（八十八）

五加皮　海桐皮　川烏炮　牡丹皮

川芎　赤芍藥　絡五　乾姜　肉桂各一兩

右為末每服三錢水一盞將古銅錢一个入清油內浸每煎

藥入此錢同煎不拘時

〔白虎〕獨活寄生湯治白虎歷節甚痛及風寒暑濕之毒

方見腰脇痛門（八十九）

白虎風走注痒痛方（九十）

右用三年釅醋五升熱煎三五沸切葱白三升煮一沸漉出

布帛熱裹病處熨之

又方芥菜子為末雞子白調傅之

〔大風〕遇仙丹治大風（九十一）

人參　紫參各一兩　苦參　白僵蚕去觜各二兩

右爲末麪糊丸梧桐子大每服三十丸溫塩湯吞下食前日二服

九十二 仙方 治大風髮毛眉毛自落肌膚瘡如苔蘚勢不可救服此方效

皂角刺三斤炭火蒸久晒乾爲末濃煎大黃湯下一匕服旬日間眉髮再生肌膚潤眼目明

九十三 洗方 治癘風即大風惡疾癩是也

右用桑枝灰一斗熱湯淋取汁洗頭面次用大豆及菉豆漿添熱水三日一浴一日一洗面却用側柏葉蒸晒乾白膠香等分爲末蜜丸溫水下三七粒日三服

九十四 八葉湯 淋洗大風

桑葉　荷葉　地黃葉　皂角葉

蒻葉　蒼耳葉　菖蒲葉　何首烏葉

右等分瓶乾燒存性為末如面藥用洗手面浴身躰甚効切
須忌口戒塩

癜風

追風丹　治前大軍庫張摂領患白癜風服之愈

蒼木米泔浸炒　何首烏　荊芥穗　苦參已上各等分

右件為細末好肥皂角三斤去皮弦於磁器内熬為膏
和為丸如梧桐子大每服三五十丸空心酒茶任下忌
一切動風之物

九十五

九十六　何首烏散　治肌肉頑麻紫白癜風

荊芥　蔓荊子　蚵蚾草　威灵仙
何首烏　防風　甘草炙各等分

右為末每服二錢食後温酒調下

九十七　如聖膏　治癜風

詩曰　紫癜白癜兩般風附子硫黄最有功姜汁調匀茄蒂

醮擦來兩度更無蹤　先以布擦洗瘡令損却用茄蒂醮藥汁擦之一説白癜風用白茄蒂紫癜風用紫茄蒂

又方　硫黃一兩米醋煮一日海螵蛸一箇並爲末浴後以生姜醮藥熱擦避風少時效（九十八）

又方（九十九）

雄黃　硫黃　黃丹　密陀僧　南星

右爲末用姜汁擦患処次用姜片醮藥末擦后漸黑次日再擦黑散則無恙矣

灸法　治癜風灸左右手中指節宛中三壯未瘥再報之凡有贅疵諸痣但將艾炷於上灸之三壯即除（一百）

新編名方類證醫書大全卷之一

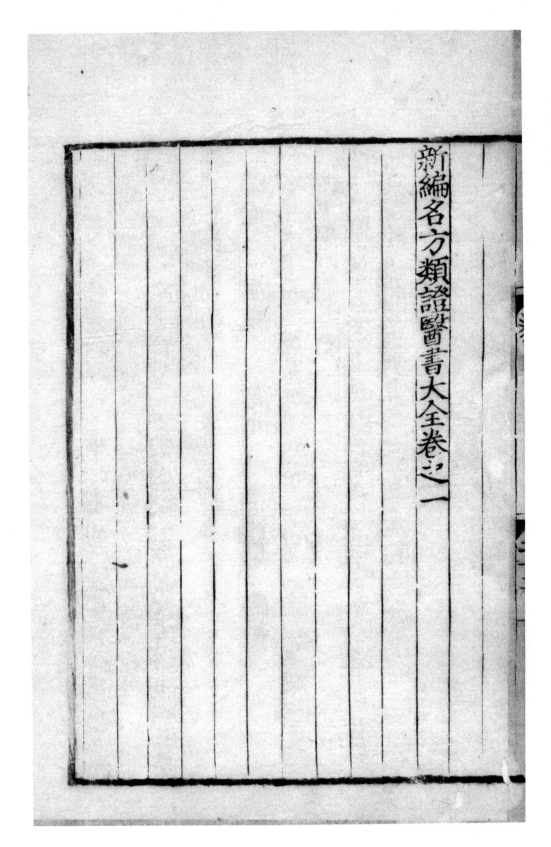

新編名方類證醫書大全卷之二

鰲峯熊宗立道軒編集

寒

寒爲天地殺厉之氣故見於冬則爲氷爲霜草木因之而摧敗鳥獸各蔵巢穴以自居氣体虛弱之人或調護失宜衝斤道途一時爲寒氣所中則昏不知人口噤失音四肢僵直攣急疼痛或洒洒惡寒翕翕發熱面赤若有汗五臟之虛者皆能有所中也其脉多遲而緊挾風則脉帶浮眩暈不仁兼濕則脉濡而四肢腫痛治療之法只宜以姜附之藥溫散寒氣切不可妄有吐下如舌卷囊縮者難治

〔中寒〕**姜附湯** 治体虛中寒昏不知人及臍腹冷痛霍乱轉筋

一切虛寒並皆治之（七）

乾姜一兩　附子生去皮臍細切一枚

右㕮咀每服三錢水一盞半煎七分食前溫服

（二）理中湯 治五臟中寒口噤失音四肢強直

人參　乾姜　甘草　白朮各等分

右㕮咀每服四錢水一盞煎服三因方加附子名附子理中湯

（三）葱熨法 治中寒氣虛陽脫氣息欲絕不省人事及傷寒陰厥百治不效

葱一握以索繩纏如餅餡大去根葉惟存白長二寸許先以火烘一面令通熱勿令灼人乃以熱處著病人臍下上以熨斗盛火熨之令葱餅熱氣透入腹內更作三四餅過一餅壞不可熨即易一餅候病人醒手足溫有汗乃着更服姜湯一琖良或四逆湯之類若熨而手足不溫者不可治

四 **又方** 中寒熨法

宜以吳茱萸二升酒畧煮濕以絹袋盛蒸令極熱熨心腹及脚手心候氣通暢匀暖即亭止累用有効

感冒 **正氣散** 治傷寒陰證憎寒惡風正氣逐冷 五

半夏　厚朴各三两為末生姜四两研爛同為餅子微炒

藿香葉　陳皮各乙两　甘草七分炒

右為細末每服二錢生姜三片棗一枚水一盞煎七分食前稍熱服常服順氣寬中辟除瘟疫

六 **生料五積散** 治感冒寒邪頭疼身痛項背拘急惡寒嘔吐或有腹痛又治傷寒發熱頭疼惡風无問內傷生冷外感風寒及寒濕客于經絡腰脚酸疼及婦人經血不調或難產並治之

白芷三两　陳皮去白六两　厚朴去皮姜製四两　桔梗去芦十二两

枳殼去穣麸炒六两　川芎　甘草炙　茯苓各三两

蒼术二十四两米泔浸去皮　當歸三两去芦　麻黄去節六两

肉桂去皮　芍藥各三两　乾姜四两　半夏湯洗三两

右㕮咀每服四錢水一盞姜三片葱白三个煎七分熱服冒寒用煨姜挾氣則加茱萸婦人調經催産則入艾醋

〔通治〕大已寒圓　治沉寒痼冷臟府虛憊心腹疞痛脇肋脹滿泄瀉腸鳴自汗自利方見瀉門　七

暑

暑之為氣在天為熱在地為火在人臟為心是以暑之中人先着於心凡中之者身熱頭痛煩渴口燥甚則昏不知人手足微冷或吐或瀉或喘或滿入肝則眩暈頑痺入脾則昏睡不覺入肺則喘滿痿躄入腎則消渴其脉多沉伏一時昏中者切不可便与冷水并卧湿地古法當以熱湯先灌及用布衣醮熱湯熨

臍下及氣海續二以湯淋布上令煖氣透徹臍腹俟其甦省進以黃連香薷散五苓散若体虛者以香飲子霍乱吐瀉來復丹二氣丹夾食則用胃苓湯若挾風則其脉沉而浮證有搐搦當於黃連香薷散內加羗活煎服却不可作驚癇治之多致不救此方乃嚴氏累用之而有驗者若旅途中卒然暈倒急扶在陰涼処掬道上熱土於臍上撥開作竅令人尿於其中以待求熱湯并生姜或大蒜各一塊嚼爛以湯送下立醒

冒熱　八　白虎湯　治伏暑嘔吐

石膏四两　知母一两　甘草一分　粳米一合

右為剉散每服水煎熱服如伏暑作寒熱未解宜和五苓散同煎服伏熱後或冷水沐浴或喫冷物清氣在脾不竟解令日作寒慘壯熱渾身洒淅宜加桂煎服出汗便解

九　白虎加人參湯　治太陽中暍脉弦細芤遲小便已洒然

毛竅皆口開板齒者緣腠理司開闔寒則皮膚急腠理閉熱則皮膚緩腠理開開則洒然寒閉則熱而悶 即白虎湯内加人參

(十)黄龍圓 治伏暑發熱嘔吐惡心

黄連 去須 十二兩 好酒 五升

右黄連以酒煮乾研爲細末麪糊爲圓如梧桐子每服三十圓熱水吞下

(十一)益元散 治中暑身熱小便不利此藥性凉除胃脘積熱

滑石 好者 六兩 甘草 微炒 一兩

右爲末每服三錢加蜜少許熱湯冷水任下如欲發汗以葱白豆豉湯調下

(傷冷)二氣丹 治伏暑傷冷二氣交錯中脘痞結或泄或嘔

硝石 硫黄 各等分

右爲末於銀石器内火炒令黄色再研用糯米糊爲圓梧桐

子大每服四十圓新井水下不拘時（十二）

（十三）**冷香飲子**治虛中伏暑煩燥引飲服涼藥不得者

草菓仁三两　附子炮去皮　橘紅各一两　甘草炙半两

右㕮咀每服一两水二椀薑十片煎一半沉冷不拘時

（十四）**冷香湯**治夏秋傷暑引飲過食生冷無度脾胃不和或成霍乱之證

良薑二两　檀香二两　附子炮去皮二两　丁香二分

川薑炮三分　甘草炒赤二两　草豆蔻五个去殼

右為末每服五銭以水二升煎十數沸貯瓶内沉井底代熟水服大能消暑止渴

冷熱不調　**大順散**治冒暑伏熱引飲過多脾胃受湿水穀不分霍乱嘔吐臟腑不調（十五）

甘草三十斤　乾姜四斤　杏仁去皮炒四斤　肉桂去粗皮四斤

右先將甘草用白砂炒及八分黃熟次入乾姜同炒却入杏仁候杏仁不作声為度用篩二净後入肉桂一処搗羅為末每服三钱水一中盞煎七分温服如煩燥井花水調下不計時候以沸湯點服亦可

（十六）來復丹 治上盛下虛裏寒外熱伏暑泄瀉如水

硝石 二两同硫黃為末入摽内以微火炒用柳蓖攪不可火大过恐傷藥力再研極細名二氣末

大陰玄精石研飛一两　五灵脂水澄过砂石晒乾二两

舶上硫黃透明者一两　青皮去白二两　陳皮去白二两

右用五灵脂二橘皮為末次入玄精石末及前二氣末拌勻好醋打糊為圓豌豆大每服三十圓空心米飲下

（霍亂）解暑三白散 治冒暑伏熱霍亂嘔吐小便不利頭目昏眩

澤瀉　白术　白茯苓各等分（十七）

右㕮咀每服四钱水一盞薑五片燈心十莖煎八分不拘時

（十八）**桂苓甘露飲** 治伏暑引飲過度腹肚膨脹霍亂瀉利並皆治之

白茯苓去皮　白术　猪苓去皮　滑石研各二兩

寒水石研　甘草炙　澤瀉各一兩　肉桂去皮半兩

右爲末拌勻每服三錢熱湯冷水任下入蜜少許亦好

（十九）**香薷散** 治伏暑引飲口燥咽乾或吐或瀉並皆治之一方又加黃連四兩用姜汁同炒令黃色名黃連香薷散如有搐搦加羌活煎服

白扁豆微炒半斤　厚朴去皮姜汁炙熟半斤　香薷去土一斤

右㕮咀每服三錢水一盞入酒少許煎七分沉冷不拘時

（煩渴）**桂苓圓** 治冒暑煩渴飲水過多心腹脹滿小便赤少

肉桂去皮　赤茯苓去皮各五兩　（二十）

右爲末蜜圓每兩作十圓每服一圓細嚼白湯冷水任下

二十一　縮脾飲　消暑氣除煩渴

縮砂仁　乾葛　烏梅肉　白扁豆各二兩

草菓煨去殼　甘草炙各四兩

右㕮咀每服四錢水一大椀煎八分以水沉冷服

二十二　枇杷葉散　治中暑伏熱煩渴引飲嘔噦惡心頭目昏眩

枇杷葉去毛炙半兩　香薷三分　白茅根　麥門冬去心　丁香

甘草炙　乾木瓜各一兩　陳皮去白焙半兩　厚朴去皮薑汁炙半兩

右爲末每服二錢水一盞姜二片煎煩燥冷水調下

二十三　五苓湯　治傷寒中暑大汗後胃中乾煩躁不得眠

猪苓去皮　茯苓去皮　白朮各半兩　桂一分去皮　澤瀉一兩

右爲末每服二錢熱湯調下愈妙加滑石二兩甚佳喘咳煩

心不得眠者加阿膠半兩炒　夏月大暑新水調服立愈

二十四　竹葉石膏湯　治中暑不惡寒煩渴不已方見傷寒門

二十五 **小柴胡湯** 治中暑煩渴口乾極用冷服方見傷寒門

三通治 **消暑圓** 治伏暑引飲脾胃不利

二十六

半夏一斤醋煮　甘草生用　茯苓去皮各半斤

右爲末姜汁煮糊爲圓如梧桐子每服五十圓熱湯下

二十七 **大黃龍圓** 治中暑身熱頭疼狀如脾寒或煩渴嘔吐昏悶不食

舶上硫黃　硝石各一两　白礬　滑石各半两

白麪四两　雄黃半两

右五味研末入麪和勻滴水圓如梧桐子每服三十圓新水下

二十八 **七味香薷飲** 消暑氣和脾胃

香薷一两　人參去芦　陳皮湯泡去白　白朮　黃耆

白扁豆炒去殼　甘草炙各半两　厚朴姜汁製炒黑色　乾木瓜　白茯苓

右爲末每服二錢熱湯冷水調下

（三十九）五苓散 治中暑煩渴身熱頭痛霍乱吐瀉小便赤少如
心神恍惚加辰砂又名辰砂五苓散
澤瀉二十五两 肉桂去粗皮十两 赤茯去皮十五两
白术去芦十五两 猪苓去皮十五两
右為細末每服二夕熱湯調下不拘時

（三十）桂苓甘露散
官桂半两 人参 藿香各半两 茯苓
白术 甘草 葛根 澤瀉
寒水石各乙两 滑石二两 木香一分
右為細末每服三錢白湯下新水生姜湯亦可

（救急）（三十一）皂筴湯 治中暑不省人事
猪牙皂筴燒灰 甘草炒
等分為末每服二錢温熟水調下

三十二 治夏月途中卒然中暑悶絶

令患者仰卧以道中熱土鋪放腹上及心頭立甦如無熱土

令患者仰卧以熱尿盪臍腹中間亦良

又方 治中暑迷悶

取蒜研熱湯灌之立愈或用連皮生姜一大塊研爛熱湯灌

下亦甦卒急不得熱湯以冷水研亦可

又方 用道上熱土同大蒜研爛以冷水和去滓飲之即差

濕

濕之爲氣沖溢天地之間流注四時之内躰虛之人或爲風雨所襲或卧卑濕之地遠行涉水或感山澤蒸氣或汗出衣裏冷則浸漬脾腎皆能有所中傷着腎者腰痛身重如坐水中小便不利着脾則四肢浮腫不得屈伸者挾風則眩暈嘔噦心間煩

熱兼寒則拳攣掣痛無汗惡寒帶暑則煩渴引飲心腹疼痛面垢惡寒凡感濕之證其脉多沉緩而微其證多四肢倦怠不舉法當疎利小便爲先決不可輕易汗下幷用火攻若有泄瀉等證又當於各類求之

風濕 羌附湯 治風濕相搏手足掣痛不可屈伸或身微浮腫 三十三

羌活去蘆　附子炮去皮臍　白术　甘草各等分

右㕮咀每服四錢水一盞半姜五片煎七分温服不拘時

三十四 薏苡仁散 治濕氣傷腎肝氣不調自然生風遂成風濕流注四肢肌肉疼痛

薏苡仁一兩　當歸　小川芎　乾薑　茵芋

甘草　官桂　川烏　防風　麻黄

人參　羌活　白术　獨活各半兩

右爲細末每服三錢空心臨卧酒調下日三服

三十五 **麻黄白术散** 治感風濕身體煩疼無汗惡寒發熱者

麻黄去節湯浸三兩　杏仁二十六个去皮尖　甘草二两炙　白术四两　桂心一两

右㕮咀每服四錢水盞半煎七分食前服

三十六 **白术茯苓乾薑湯** 治感風湿挾暑煩渴引飲惡風微汗

白术　茯苓　乾薑　細辛　烏梅

桂心　乾葛　甘草炙　陳皮　豆豉各等分

右爲末每服二錢白湯調下

三十七 **四物附子湯** 治風湿相搏骨節煩疼四肢拘急不得屈伸

附子炮一分　肉桂八分　白术六分　甘草四分

右㕮咀每服半两水一盞薑五片煎八分温服

三十八 **术附湯** 治風濕相搏腰膝疼痛四肢重着不嘔不渴大便堅硬小便自利

甘草炙二兩 白术四兩 附子炮去皮臍薄切片一兩半

右㕮咀每服三錢水一盞薑五片棗一枚煎七分空心溫服

（三十九）防己黄耆湯 治風濕相搏客在皮膚四肢少力關節煩疼

防己四兩 黄耆五兩 甘草炙二兩 白术三兩

右㕮咀每服三錢水一盞薑棗同煎七分熱服不拘時

（四十）木瓜圓 治風濕客搏手足腰膝不能舉動

以木瓜一枚去穰皮開竅填吳茱萸一兩線繫定蒸熟研爛入鹽半兩研勻糊丸梧子大每服四十丸茶酒吞下

（四十一）桂枝附子湯 治風濕相搏身躰煩疼方見傷寒門

（寒濕）滲濕湯 治寒濕所傷身躰重着如坐水中小便赤澀大便溏泄

（四十二）

蒼术 白术 甘草炙各一兩 茯苓去皮

乾薑炮各二兩 橘紅 丁香各一分

右㕮咀每服四錢水一盞棗一枚薑三片煎七分食前溫服

【四十二】腎著湯　治腎虛傷濕身重腰冷如坐水中不渴小便自利

乾薑炮　茯苓各四兩　甘草炙　白术各二兩

右㕮咀每服四錢水一盞煎七分空心溫服

【四十三】滲濕湯　治坐卧濕地或爲雨露所襲身重脚弱關節疼痛發熱惡寒或多汗惡風或小便不利大腑溏泄

白术二兩　人參半兩　乾薑炮　白芍藥

附子炮去皮臍　白茯苓去皮　桂枝不見火　甘草炙各半兩

右㕮咀每服四錢水一盞半薑五片棗一枚煎八分不拘時

【四十四】生附湯　治受濕腰痛

附子生二錢半　蒼术炒　杜仲薑汁炒各　牛膝酒浸焙　厚朴製

乾薑生　白术　茯苓　甘草炙各二錢半

右㕮咀每服三錢薑三片棗一枚食前煎服

四十五 芎朮除眩湯 治感寒濕頭目眩暈

甘草炙 附子炮 白朮 官桂各二分半 川芎半两

右㕮咀每服三錢薑七片食前煎服

四十六 麒麟竭散 治寒濕傳於經絡疼痛不可忍

血竭 南乳香 没藥 白芍藥 當歸

水蛭杵碎炒令烟尽 麝香各二 虎脳骨酥炒黄五分

右八味爲末和匀每服三錢温酒調下食前

四十七 除濕湯 治寒濕所傷身體重着腰脚酸疼大便溏泄小便或澁或利

半夏麯炒 厚朴薑製 蒼朮米泔浸各二两 藿香葉

陳皮去白 白茯苓去皮各一两 甘草炙七分 白朮生用一两

右㕮咀每服四錢水一盞薑七片棗一枚煎七分食前温服日三

暑濕　五苓散 方見中暑門 治傷濕有熱小便赤少 四十八

四十九 苓术湯 治暑濕鬱發半身不遂口眼喎斜

附子炮去皮臍　茯苓　白术

乾薑炮　澤瀉　桂心各等分

右㕮咀每服四錢水一盞煎七分空心服

五十 茯苓白术湯 治感濕挾暑汗未乾而浴暑濕相搏

茯苓　白术　乾薑炮　甘草炙　桂心各一兩

右㕮咀每服四錢水一盞煎七分食前服

五十一 大橘皮湯 治証同上

橘皮半兩　木香一分　滑石六兩　檳榔三分

茯苓乙兩　豬苓去黑皮　澤瀉　白术

官桂各半兩　甘草二分

右為末每服五錢水一盞生姜五片煎至六分去滓食後服

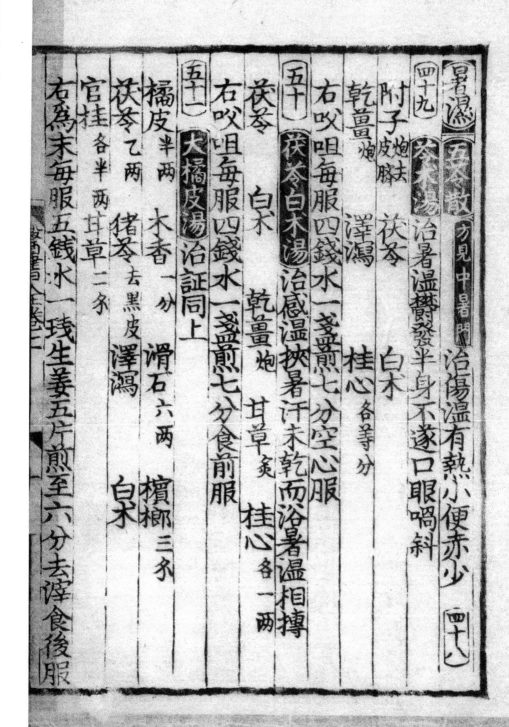

通治 蒼耳圓 治一切風寒暑濕四肢拘急攣痺 五十二 又方取蒼耳子洗焙為末糊丸梧子大每服五十丸日三

蒼耳子以水煎服亦可

五十三 白朮酒 治中濕骨節疼痛

白朮一兩酒三盞煎一盞頓服不能飲酒以水代之

五十四 赤茯苓丸 治脾濕太過四肢腫滿腹脹喘逆氣不宣通小便赤澀

葶藶四兩 防已二兩 赤茯苓乙兩 木香半兩

右為細末棗肉為丸梧子大每服三十丸煎桑白湯下食後

新刊名方類證醫書大全卷之二

新編名方類證醫書大全卷之三

鼇峯　熊　宗立　道軒　編集

傷寒

傷寒之證固有天疫流行一時所感病無老少率相似者然多是躰虛勞役之人冬月衝斥道途不謹調護以至為風寒所傷其毒藏伏於內不即發見或為熱所擊搏然後發而為病故經云冬感寒春發溫者是也其為證有陽有陰有表有裏又當知受病不同傳變不一其發也未有不自頭疼發熱自汗惡寒而始者若發於太陽即熱而惡寒發於太陰上惡寒而不發熱也傳陽則潮熱狂言如有所見其脉多長浮變陰則舌強不語手足厥冷多有自利其脉多沉細傷寒為治雖曰有法又須明證

以察於外切脉以審於內故在表宜汗之在上宜吐之在裏宜下之在半表半裏者和解之此固一定之法然又須考得病之日傳變之期方可施治一日至三日病在皮膚者為表宜麻黃桂枝之類驅散寒邪得汗之後脉靜為愈有汗不得服麻黃無汗不得服桂枝仲景至切之論不可不謹四日五日之間病在胸膈痰氣緊滿於上當以瓜蒂豆豉之類吐之而愈六日七日之間其病入腹傳胃臟腑結燥狂言潮熱須大黃芒硝之類下之而愈古今治法揔曰如此却又有得病之日便四肢厥冷名為陰厥欲絕者丹田氣海穴灸之又有經日微厥而後發熱者為熱厥熱甚舌黑鼻燥者今人多以水漬布帛重疊搭之於胸頻頻更換以援去熱氣亦良法也又有不厥而即變陽證或胸腹恚悶牽引疼痛坐卧不安胃氣喘息則又不可拘以日數即宜下之又有六七日大腑結燥上不能食其脉細緊皆曰當下

却有頭痛惡寒項上有汗或小便清利乃表證未除仍宜汗之或裏寒表熱或裏熱表寒皆當先救其裏後治其表應汗而反下之則熱畜於裏或為瘀血發而為狂證者有之結而為痞為結胷者有之結胷者心下緊滿而痛按之如石手不可近痞者但緊滿而不痛證雖相類用藥却有不同若應下而反汗之則津液枯竭又有亡陽譫語者譫語為實鄭聲為虛若應吐而反溫之則毒氣鬱結於胃發而為斑其色如錦紋者生黑者即死臨證用藥若不辨其陰陽觀其傳變審而行之則必致錯乱怪證百出流而為壞證傷寒甚至不救以此傷寒一證不可不謹病愈之後切不可輕用補藥尤忌房室勞傷飲食過度倘因之再作未易治也致有脚氣痰飲食積虛煩四證与傷寒相類更宜審之但脚氣則脚膝軟痛卒起即倒痰飲則頭不痛項不強食積則身不痛左手脉平和虛煩則不惡寒身不痛為異決不

可有誤作傷寒治之其中變易非止一端茲畧舉其説以備倉卒其詳又當於仲景論中千金百問内求之且感冒本與傷寒治證一同但有輕重之分耳故重者為傷輕者為感感冒之中有風有寒又須詳別夫感寒則必惡寒面色黯慘項背拘急亦或頭痛發熱其脉沉遲當以五積散藿香正氣散養胃湯表之感風則必惡風面色光浮身体發熱如聾鼻塞聲重時引清涕或咳唾稠粘其脉多浮數當以十神湯敗毒散治之或風寒兼之又當用和解之藥體虛之人不可過於發散恐致他疾并述于後審之審之

（宜汗）**麻黄湯** 治傷寒頭痛發熱惡風骨節疼痛喘滿無汗

杏仁七十个去皮炒别研如膏　麻黄去節三兩　甘草炙一兩　肉桂二兩去皮

右為粗末入杏仁膏令匀每服三錢水一盞煎八分温服以汗出為度

一

〔二〕十神湯 治時令不正瘟疫妄行感冒發熱或欲出疹此藥不問陰陽兩感風寒並宜服之

川芎　甘草　麻黃去根　乾葛　紫蘇

升麻　赤芍藥　白芷　陳皮　香附子

右㕮咀每服三錢水一盞半姜五片煎七分去滓熱服不以時候如發熱頭痛加連鬚葱白中滿氣實加枳殼煎

〔三〕葛根解肌湯 治傷寒頭痛發熱惡寒肢體拘急胸膈煩悶

葛根四兩　麻黃去節一兩　肉桂去皮一兩

甘草炙　黃芩　芍藥各二兩

右㕮咀每服三錢水一盞棗一枚煎八分去滓熱服

〔四〕葱白散 治四時傷寒頭痛壯熱肢体煩疼小便赤澁及傷風鼻塞咳嗽痰涎山嵐瘴氣並皆治之

川芎　蒼朮米泔浸　白朮各二兩　麻黃去根節二兩

甘草　石膏　乾葛各一两

右㕮咀每服二銭水一盞姜三片葱白二寸煎七分熱服不拘時如欲汗并進数服

〔五〕小青龍湯治傷寒表證不解心下有水氣乾嘔發熱咳嗽微喘又治胎經受寒咳嗽喘急

半夏湯洗七次二两半　乾姜炮　細辛去葉　麻黄去根節

肉桂去皮　芍藥　甘草炒各三两　五味子二两

右㕮咀每服三銭水一盞半煎七分去滓食後溫服

〔六〕大青龍湯治傷寒頭痛發熱惡寒無汗煩躁六脉浮緊

麻黄三两　桂枝去皮　甘草炙各一两　杏仁十个去皮二

大棗五个　生姜一两半　石膏半个雞子大

右㕮咀每服五銭水一盞半煎八分去滓溫服取汗為度不可過汗恐亡陽也若汗多不止用溫粉撲之

【宜下】**大柴胡湯**　治傷寒十餘日不解邪氣結在裏身熱煩燥語言譫妄大便不通繞臍刺痛　七

枳實去穰麩炒半兩　柴胡去芦半斤　大黃二兩
赤芍藥　黃芩各三兩　半夏湯洗七次二兩半

右㕮咀每服三錢水一盞姜五片棗一枚煎七分去渣溫服

此藥治傷寒內熱裏實若身体疼痛是表證未解不可服之宜解表

八　**小承氣湯**　治傷寒潮熱譫語如有所見大便六七日不通是有燥糞結滯此藥主之

枳實一枚麩炒去穰　大黃一兩去皮　厚朴去皮製一兩姜

右㕮咀每服五錢水一盞半煎八分去滓溫服以利為度

九　**柴胡飲子**　治內實大便難不惡寒反惡熱

柴胡　人參　黃芩　甘草

大黄　當歸　芍藥各半兩

右為粗末每服三錢水一戔生姜三片去滓溫下

（十）防風當歸飲子　治身熱大便秘不惡寒而煩渴

柴胡　人參　黄芩　防風　滑石

甘草　芍藥　大黄　當歸等分

右為粗末每服三五錢生姜三片水一戔煎至七分去滓溫

服不拘時候

（十一）調胃承氣散　治陽明不惡寒反惡熱大便秘譫語嘔

大黄　甘草　朴消各五分

右為粗末每服五七錢水一大戔煎三五沸去滓溫服食後

（十二）調中湯　治秋夏之間暴寒折於盛熱〻結於四肢則壯

熱頭痛寒傷於胃則下利或血或水脉數者宜此下之

大黄去皮三分　葛根　黄芩　藁本擇真者　白术

芍藥　桔梗　茯苓去皮　甘草炙各半两

右㕮咀每服五錢水一盞半煎八分移時再服得利即止

（十三）脾約麻仁丸治傷寒燥熱糞結大便秘小便自利

方見秘結門

（十四）蜜導法治秘結服藥不得通利宜此導之方見秘結門

（宜吐）瓜蔕散治傷寒四五日病在胸膈痰氣緊滿於上不得息者當以此吐之

（十五）

瓜蔕炒黄一两　赤小豆一两

右㕮咀每服三錢水一盞半入豉一合同煎至六分去滓溫服以吐得快為度亡血体虛者不可服

（十六）稀涎散治傷寒後大胸膈痰多涎病頭疼方見風門

（宜溫）（十七）五積散方見中寒門治傷寒頭痛發熱惡寒身痛無汗及臟府去寒服涼剤不得者

〔十八〕陰旦湯治傷寒肢節疼痛內寒外熱心下虛煩

芍藥 甘草各二兩 乾姜

黃芩各三兩 桂心四兩 大棗十五个

右㕮咀每服五錢水一盞煎八分溫服頻進令少汗

〔十九〕茯苓四逆湯治傷寒汗下之後病證不解而煩燥者

附子一个去皮生破八片只用二片 人參二分半 甘草三分 乾姜二分 茯苓一兩

右㕮咀每服五錢水一盞煎八分溫服

〔二十〕桂枝附子湯治傷寒八九日不解風濕相搏身体煩疼

桂枝一兩三分 甘草六分二字 附子一个炮

右㕮咀每服五錢水一盞姜四片煎八分溫服

〔二十一〕小建中湯治傷寒陽脉澀陰脉弦腹中急痛法當先与小建中湯若不瘥者小柴胡湯主之

桂枝去皮兩半 芍藥三兩 甘草一兩 生姜兩半

膠飴半斤舊有微溏或嘔者去膠 大棗六个

右剉每服五錢水一盞半姜三片大棗一枚煎八分去滓下膠飴兩匙許再煎化溫服尺脉尚遲加黄耆末一錢煎

和解 **和解散** 治四時傷寒頭痛煩燥自汗咳嗽吐痢 (二十二)

陳皮洗 厚朴去皮製各四兩 藁本

桔梗 甘草各半斤 蒼术去皮一斤

右爲粗末每服三錢水一盞半姜三片棗二枚煎七分不拘時熱服

(二十三) **消風百解散** 治四時傷寒頭疼發熱及寒壅咳嗽鼻塞聲重

荊芥 白芷 陳皮去白

麻黄去節 蒼术各四兩 甘草炙二兩

右㕮咀每服三錢水一盞姜三片葱白三箇煎七分不拘時

如咳嗽加烏梅煎

〔二十四〕八解散 治四時傷寒頭疼體熱惡風多汗嘔逆惡心

人參去芦 茯苓 甘草 陳皮去白

藿香去土 白朮 厚朴 半夏湯洗七次各一兩

右㕮咀每服五錢水一盞姜三片棗葱同煎不拘時

〔二十五〕家藏方十味和解散 治頭疼發熱發散寒邪

白朮二兩 桔梗一兩 人參去芦 甘草炙各一分 當歸洗焙

陳皮去白 枳殼去穰炒 赤芍藥 厚朴姜製半兩 防風

右㕮咀每服四錢水一盞姜三片葱二莖煎熱服不拘時

〔二十六〕香蘇散 治四時傷寒頭痛發熱惡寒

紫蘇 香附子略各二兩 陳皮一兩 甘草炙半兩

右㕮咀每服四錢水一盞姜葱煎七分空心熱服如頭疼加川芎白芷名芎芷香蘇散

徐同知加減香蘇散法

頭痛加川芎白芷○頭痛如斧劈加石膏連須葱頭○偏正
頭風加細辛石膏薄荷○太陽穴痛加京芥穗石膏○傷風
自汗加桂枝○傷風无汗加麻黃去節并乾葛○傷風惡寒
加蒼术○傷風發熱不退加漳柴胡黃芩○傷風咳嗽不止
加半夏杏仁去皮尖○傷風胸膈痞塞加製枳殼○傷風鼻塞
声重咽膈不和加桔梗旋伏花○傷風痰涎壅盛加白附子
天南星○傷風鼻内出血加茅花○傷風氣促不安加大腹
皮桑白皮○傷風鼻塞不通頭昏加羌活荊芥○傷風不散
吐血不時加生地黃○傷風不解耳内出膿疼痛加羌活京
芥○傷風不解咽喉腫痛加桔梗○傷風中脘寒不思飲食
加去白青皮枳殼○傷風嘔吐惡心不止加丁香半夏○傷
風頭暈眼花顛倒支持不住加熟附子○傷風時作寒慄加
桂枝○傷風痰壅嘔惡不止加白附子旋伏花半夏○傷風

後時々作虚熱不退加人参○傷風飲食不能消化加縮砂仁青皮○傷風一向不解作潮熱白日至日中不退日々如是加地骨皮濬柴胡人参蒼芦○初感風頭痛作熱鼻塞声重加羌活川芎○感風腰疼々不能伸屈加官桂桃仁○感風渾身痛不止加赤芍藥紫金皮○感風脛項強急不能轉頭加羌活官桂○腹肚疼痛加木香○腹肚疼刺不可忍加姜黄茱萸七粒○小腹疼痛無時不可忍加木香姜棗○婦人忽然大便痛腫不能下地加木香木瓜茱萸○婦人被性所苦留髙瘩疼々脅肋刺痛小便急疼加木香枳殼○婦人被氣疼所苦加木香縮砂仁○脾胃不和中脘不快加谷芽神曲○傷食吐嘔泄瀉腹痛加乾姜木香○心卒痛者加延胡索酒一盞○飲酒太過忽遍身發疸或兩目昏黄加山茵陳山梔子○中酒吐悪加烏梅丁香○婦人經水将行先作寒熱

加蘇木紅花○婦人産後作虛熱不退煩渴加人參地黃○
産後發熱不退加人參黃耆○産後腰疼不已加當歸官桂
咳嗽不已加乾姜五味子杏仁○脾寒加良姜青皮草果○
脚氣加木香木瓜牛膝紫金皮吳茱萸川練子○感風寒發熱
頭疼加不換金正氣散○感寒頭痛壯熱惡寒身痛不能轉
動加生料五積散○飲食不下欲吐不吐加丁香與蘿蔔子
○感寒頭痛發熱身疼分陰陽加敗毒石膏○婦人産後風
脚手疼痛生料五積散人參敗毒散加木瓜不換金正氣散
加生地黃川芎同煎

（二十七）十味芎蘇散 治四時傷寒發熱頭痛

川芎七分　紫蘇葉　乾葛　桔梗生二各半　柴胡
茯苓各半兩　甘草三分　半夏六分　枳殼炒三分　陳皮三分
右㕮咀每服三錢姜棗煎服

〔三十八〕麻黄桂枝湯 治傷寒七八日發熱惡寒如瘧狀但不嘔小便清利六脉雖微而惡寒此乃陰陽俱虚不可更發汗及吐下此藥主之

桂枝一两 麻黄 芍藥 生姜

甘草炙各五分 杏仁十二个 大棗二枚

右㕮咀每服五錢水一盞半煎八分温服

〔三十九〕柴胡桂枝湯 治傷寒六七日發熱微有惡寒表證未解者

柴胡二两 桂枝去皮半两 黄芩半两 甘草三分 生姜半两

人參半两 半夏四分 大棗一枚 芍藥二两

右剉每服五錢水一盞半煎八分去滓温服

〔陽證〕〔三十〕黄連解毒湯 治傷寒大熱乾嘔錯語呻吟不眠

黄連一分 黄芩 黄栢各半两 梔子四箇

每服剉五錢水二盞半煎七分去滓温服

三十一 梔子仁湯 治傷寒陽毒發狂煩燥面赤咽痛熱潮

梔子仁　赤芍藥　大青　知母各一兩

升麻　黄芩　石膏　杏仁各二兩

柴胡一兩半　甘草半兩　豉一百粒

右㕮咀每服五錢水一盞半煎七分去滓温服

三十二 小柴胡湯 治傷寒發熱如瘧胷脇滿痛小便不利大便秘澁

半夏二兩湯洗七次　柴胡半斤去芦　黄芩　人參去芦　甘草炙各三兩

右㕮咀每服三錢水一盞姜五片棗一枚煎七分熱服

三十三 柴胡散 治傷寒病後邪入經絡体瘦肌熱或又咳嗽

柴胡四兩　甘草一兩

右爲末每服二錢水一盞煎八分食前熱服

三十四 白虎湯 治傷寒大汗後表證已解或吐下後邪未除熱結在裏心胷煩渴甚欲飲水方見暑門煩渴不止者加人参

三十五 鵲石散 治傷寒發狂踰墻上屋

黄連 寒水石各等分

右爲細末每服二錢濃煎甘草湯候冷調服

三十六 玄參升麻湯 治傷寒失下熱毒在胃發斑甚則煩燥譫語

玄參 升麻 甘草炙各等分

右㕮咀每服四錢水一盞煎七分溫服溫毒亦能發斑

陰證

三十七 葱熨法 治傷寒陰厥百治不效方見寒門

三十八 白术散 治陰毒傷寒心間煩燥四肢逆冷

川烏頭炮去皮臍 桔梗去蘆 白术

附子炮去皮臍 細辛各一兩 乾姜炮半兩

右爲末每服二錢水一盞煎六分熱服不拘時

三十九 真武湯 治傷寒數日已後發熱腹疼頭目昏沉大便自利小便或利或澁或嘔或咳或已經汗不解仍復發熱心下忪悸

頭目眩暈皆由渴後飲水停留中脘所致並皆治

芎藭　茯苓　生姜　白朮各七錢半　附子炮一个

右㕮咀每服五錢水盞半煎八分溫服不拘時咳者加五味子七錢半細辛乾姜各二錢半

（四十）**四逆湯** 治傷寒自利脉微欲絕手足厥冷者

甘草炙二两　乾姜一两半　附子生去皮臍半两

右㕮咀每服三錢水一盞煎七分溫服不拘時

（四十一）**姜附湯** 方見中寒門 治傷寒自利六脉沉伏手足厥冷

（四時）（四十二）**增損白朮散** 病後最宜服之生津止渴順氣下痰

白朮　葛根　茯苓　藿香葉

人參　木香各一两　陳皮二两　乾生姜一分

右㕮咀每服四分水一大盞半煎七分去滓溫服不拘時

（四十三）**五苓散** 方見中暑門 治傷寒汗後發渴小便不利

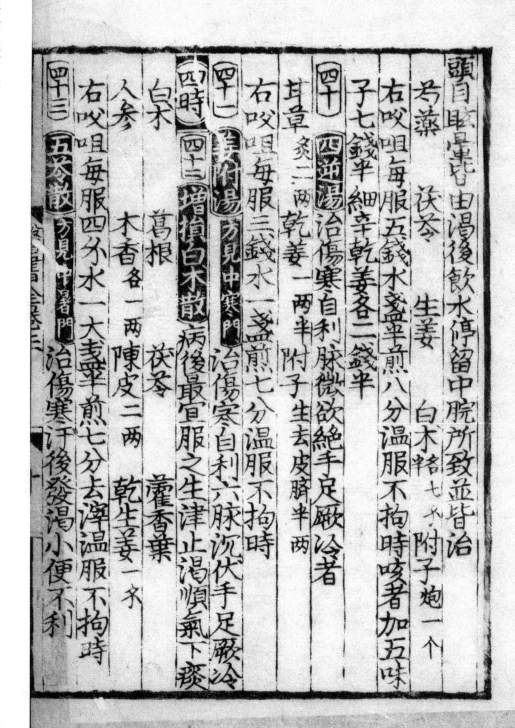

（四十四）藿香正氣散　治傷寒頭疼增寒壯熱或感濕氣霍亂泄瀉常服除山嵐瘴氣

大腹皮　白芷　茯苓去皮　紫蘇去土各三兩

藿香三兩　厚朴去皮姜製　白术　陳皮去白

苦梗　半夏麴麥各二兩　甘草炙二兩半

右㕮咀每服二錢水一盞姜三片棗一枚煎熱服

（四十五）增加減人參散　治傷寒体熱頭痛及風壅咳嗽咯血等疾

甘草炙六兩　人參　桔梗　青皮

白芷　乾葛　白术各三兩　乾姜炮五錢半

右㕮咀每服三錢水一盞姜二片棗二枚煎七分去滓熱服不拘時如傷寒加豆豉煎

（四十六）不換金正氣散　治四時傷寒瘟疫時氣及山嵐瘴氣寒熱往來霍亂吐瀉下痢赤白並宜服之

厚朴去皮薑製　藿香去枝土　甘草
半夏　蒼朮泔浸　陳皮各等分
右㕮咀每服三錢水一盞半姜三片棗二枚煎七分去滓食前熱服若出遠方不伏水土者宜常服之

〔四十七〕人參敗毒散治傷寒頭痛壯熱惡寒及風痰咳嗽鼻塞聲重如心經蘊熱口舌乾燥者加黃芩

柴胡　甘草　桔梗　人參　羌活
芎藭　茯苓　枳殼　前胡　獨活各等分
右㕮咀每服二錢水一盞姜三片薄荷少許同煎七分去滓不拘時

〔四十八〕五積交加散治内感風寒上膈蘊熱

生料五積散　人參敗毒散二料等分
右和勻每服四錢水一盞姜五片棗一枚煎八分溫服

〔四十九〕中和散 治感冒風温之氣頭目不清鼻塞聲重肢體倦怠欠伸出淚

蒼术六两 荆芥穗二两 甘草一两一分半

右㕮咀每服三錢水一盞煎八分去滓熱服不拘時

〔五十〕參蘇飲 治感冒風邪發熱頭疼咳嗽聲重涕唾稠粘此藥大解肌熱寬中快膈或慾或勞潮熱往來並能治之

木香 紫蘇葉 乾葛 半夏湯洗七次姜汁製

前胡去苗 人參去芦 茯苓去皮各三分 枳殼去穰麸炒

桔梗去芦 甘草炙 陳皮去白各半两

右㕮咀每服四錢水一盞半姜七片棗一枚煎六分去滓熱服不拘時易簡方以氣盛者不用木香

（疫癘）

〔五十一〕升麻葛根湯 治大人小兒時氣瘟疫頭痛發熱及瘡疹已發未發疑似之間並宜服之

〔五十二〕

川升麻　白芍藥　甘草炙各五兩　葛根十五兩

右㕮咀每服三錢水一盞煎七分去滓熱服不拘時

〔五十二〕**柴胡升麻湯** 治時行瘟疫壯熱惡風頭痛體疼鼻塞咽乾痰盛咳嗽涕唾稠粘

柴胡去芦　前胡去芦各十兩　黄芩去皮六兩半　荆芥去梗十兩半

赤芍藥去芦　石膏各十兩　升麻五兩　桑白皮炒　乾葛各十兩

右㕮咀每服三錢水一盞姜三片豉十餘粒煎熱服

〔五十三〕**神术散** 治四時瘟疫頭痛發熱及傷風鼻塞聲重

蒼术米泔浸五兩　藁本去土　香白芷　細辛

羌活去芦　川芎　甘草炙各一兩

右為細末每服三錢水一盞姜三片葱三寸煎七分温服不拘時如傷風鼻塞用葱茶調下

〔五十四〕**甘桔湯** 治四時疫癘咽痛方見咽痛門

虛煩 梔子豆豉湯 治發汗吐下後虛煩不得眠反發顛倒心中懊憹梔子豆豉湯主之若少氣絶者梔子甘草豉湯主之

肥梔子四个 香豉半两

右剉水二大盞先煮梔子至一盞入豉同煎取七分去滓温服得快吐止後服

五十五

五十六 酸棗湯 治傷寒吐下後心煩乏氣晝夜不眠

酸棗四升 麥門冬一升去心 甘草炙一两 知母二两

茯苓 川芎 乾姜各三两

右㕮咀每服四尒水一盞煎七分去滓温服

五十七 竹葉湯 治傷寒大霍乱吐瀉後心虛煩悶内熱不解

竹葉 麥門冬去心 人參 茯苓去皮

小麥炒 半夏湯泡各一两 甘草炙半两

右㕮咀每服四尒水盞半姜五片煎八分温服

（五十八）竹葉石膏湯 治傷寒已經汗下表裏俱虛津液枯竭心煩發熱氣逆欲吐及諸虛煩熱並宜服之

麥門冬去心五錢半　人參去芦　甘草炙各二兩

石膏一兩　半夏湯洗七次二兩半

右㕮咀每服三錢水一盞入青竹葉生姜各五六片煎一半去滓入粳米百餘粒再煎米熟去米溫服不拘時

（五十九）溫膽湯 治傷寒一切病後虛煩不得睡臥兼治心膽虛怯

半夏　枳實各一兩　橘紅一兩半　茯苓三分　甘草四分

右㕮咀每服四錢水一盞生姜七片棗一枚竹茹一塊煎七分去滓食前熱服

（自汗）

（六十）溫粉 治汗多不止

白朮　藁本　川芎　白芷

等分為末每末一兩入米粉一兩半和勻用粉周身撲之

（六十一）桂枝湯治傷寒太陽經受病頭疼身痛或翕翕發熱或洒洒惡風

桂枝　芍藥各三兩　甘草一兩

右㕮咀每服三錢水一盞姜三片棗二枚煎七分去滓溫服不計時候惟春初可依此方自春末夏至已前宜加黃芩半兩夏至後加知母半兩石膏二兩或升麻半兩若病人素虛寒者不用加減無汗休服

（六十二）黃耆建中湯治傷寒身痛尺脉遲或汗出不止方見虛勞門

（自利）（六十三）黃芩湯治傷寒腸垢協熱下利臍下必熱

黃芩三兩　芍藥　甘草各二兩　大棗十二枚

右剉每服五錢水一盞半煎七分溫服嘔者加半夏生姜

（六十四）理中湯治傷寒鴨溏協寒下利臍下必寒方見中寒門

（痞）枳實理中丸治傷寒曾經吐利後胸痞欲絶膈高起急痛

枳实（去穰麸炒）　茯苓　人参
白术　乾姜（炮）　甘草（炙各等分）
右為末蜜和一两作四圓熱湯化下渴則加栝樓根下痢加
牡砺粉　（六十五）

（六十六）**半夏瀉心湯**　治心下痞滿而不痛者
半夏（湯洗七次一两一分）　黄芩　人参
甘草（炙）　乾姜（炮各一两半）　黄連（半两）
右㕮咀每服四分水一盞姜五片棗一个煎七分温服或傷寒中風醫反下之腹鳴心痞乾嘔心煩者加甘草半两人参一两名甘草瀉心湯

（結胷）**大陷胷湯**　治傷寒表證未解而誤下之則熱畜于裏小便不利身体發黄為結胷之證脉沉而緊心下痛按之如石手不可近者此藥主之　（六十七）

大黃去皮酥炒一　芒硝一兩八另研　甘遂一分為末

右㕮咀每服五錢水一盞半煎八分去滓再下芒硝煎一二沸

入甘遂末溫服得快利為愈

（六十八）**小陷胸湯**治傷寒結胸心下緊滿而痛按之如石脈浮者是

半夏湯洗七次　黃連一分　括樓實一枚用四分之一

右㕮咀每服五錢水一盞半煮括樓至一盞却下諸藥取八分

去滓溫服以微吐黃涎為愈

（六十九）**大陷胸丸**治結胸項強如柔痓狀下之則和

大黃二兩　芒硝九分　葶藶三分　杏仁去皮尖二分

右擣羅二味内芒硝杏仁合研如肪如彈丸大一枚抄甘遂

末一字白蜜少許水二盞半煮取一盞服一宿乃下如不下

再服

（血證）（七十）**犀角地黃湯**治血証大便黑或發狂或發黃或衄

血或嗽水不欲嚥已上諸証是皆內有瘀血此治之方 見吐血

（七十一）**桃仁承氣湯** 治傷寒外已觧小腹急大便黑小便不利此爲血證宜此藥下之

桃仁 五十枚　桂枝　芒硝　甘草 各六錢半

大黃 一两三錢

水二升三合半煑取一升二合去滓內芒硝微煎分五服

（七十二）**抵當湯** 治瘀血狂言小腹滿漱水不欲嚥

水蛭　䖟虫　桃仁 各二十　大黃 一两

水三盞煎至六分去滓分二服

（七十三）**蘗皮湯** 治傷寒熱毒入深吐血不止

蘗皮 三錢　黃芩　黃連 各二錢

水二戔煎至一戔去滓入阿膠一錢半煎烊[redacted]溫服

（七十四）**䓍花湯** 治傷寒鼻衂不止

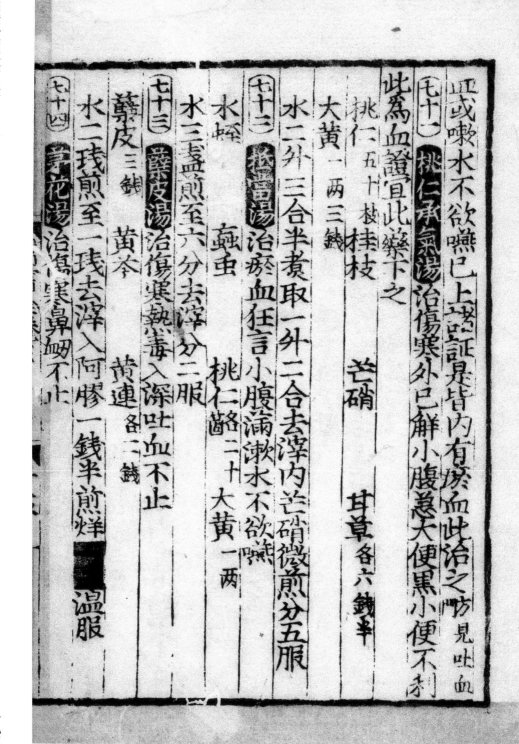

茅花一大握無花用根水三盞煎至一盞分二服

（七十五）桃花湯治少陰下利膿血

赤石脂五兩三錢一半為末一半全用 糯米三合 乾姜三錢

水二升三合煮米令熟去滓溫服二合半內赤石脂末方寸匕日三服疾止住服

（嘔噦）經驗竹茹湯治傷寒胃熱嘔噦方見吐嘔門

（七十六）半夏生姜湯治傷寒諸嘔吐水穀不下及咳逆

半夏一两 生姜二两

右用水二盞煎至一盞去滓溫服

（七十七）大橘皮湯治傷寒嘔噦胸滿虛煩不安

陳皮 人參各一两 甘草半两

右剉每服五錢姜七片水一盞半煎至七八分去滓溫服

（七十八）小橘皮湯治傷寒嘔噦手足逆冷

陳皮一兩　生姜二兩

水三錢煎至一鍾半去滓分二服

（七十九）**灸期門法**　治傷寒咳逆諸治不効

穴在婦人屈乳頭向下盡処骨間丈夫及乳小者以一指爲率男左女右艾炷如小豆大三壯陷中有動脉是穴

（易病）**燒裩散**　治婦人傷寒病後与男子交接病名陰易

右用婦人裩襠燒灰細研冷水調服以小便利爲愈

（八十）**豭鼠糞湯**　治男子傷寒病後与女人交接病名陽易

（八十一）韭根去青一握約徑寸半　豭鼠糞十四粒兩頭尖者

右二味水一钟半煎六分頓服以汗出爲愈

（復病）**白朮散**　治傷寒病後氣脉不和食復勞復病證如初

桔梗　茯苓各二两　乾姜炮二两　白朮四两　白芷

陳皮去白　青皮去白　香附子　甘草　山藥各三两

右㕮咀每服三錢水一盞姜三片棗一枚乾木瓜一片紫蘇三葉煎七分食前服若吐瀉入白梅喘入桑白皮杏仁傷寒勞復入薄荷中暑厥逆入香薷產前產後血氣不和入荆芥霍乱入藿香煎

（八十二）

雜證 **金沸草散** 治肺經受風頭目昏痛咳嗽聲重涕唾稠粘及治時行寒疫壯熱惡風

（八十三）

旋覆花去梗 三兩 荆芥穗四兩 麻黃去節 前胡去蘆 各三兩 甘草炒 赤芍藥 半夏湯洗七次姜汁浸 各一兩

右㕮咀每服三錢水一盞姜三片棗一枚煎八分溫服

（八十四）**人參養胃湯** 治外感風寒內傷生冷增寒壯熱頭目昏疼不問風寒二證夾食停痰俱能治之但感風邪以微汗爲好

半夏湯洗 厚朴姜製 蒼术米泔浸一宿 各一兩 藿香葉去土 草菓去殼 茯苓去皮

各一兩 橘紅七錢半

人參桔梗去芦各甘草炙一兩半

右㕮咀每服四錢水一盞半姜七片烏梅一箇煎六分熱服兼治飲食傷脾發爲痎瘧寒多者加附子爲十味名不换金散

名方類證醫書大全卷之三

名方類證　三

名方類證醫書大全卷之四

瘧

夫瘧之爲疾名狀不一有所謂瘴瘧寒瘧溫瘧食瘧牝瘧牡瘧名雖不同皆由外感風寒暑濕之氣與衛氣相搏而後成之雖經云夏傷於暑秋必痎瘧然四時有感鬱積七情飢飽失時致令脾胃不和痰留中脘皆成瘧疾其初發也欠伸畏寒戰慄頭痛或先寒後熱或先熱後寒或單寒單熱或寒多熱少或熱多寒少一日一發者易治二日三日一發者難愈瘧脉自弦弦數者多熱弦遲者多寒弦而小緊者宜下弦遲者宜溫浮大者宜吐治療之法當先發散寒邪不可驟用截補之藥若截早則補住邪氣其證變異不能即愈致成勞瘵者有之發散之藥熱多

宜小柴胡湯參蘇飲清脾湯之類寒多者宜養胃湯四獸飲發散不退然後以常山飲勝金圓截之截而不愈久則脾氣虛敗唯宜多進養脾驅瘧之藥脾氣一盛自然平復此證既愈尤當節飲食謹勞傷防其再作如煙瘴之地居人常患瘧疾又當隨其方土所宜藥性施以治法客旅往來瘴地當宜服平胃散草菓飲先以防之

〔傷風〕桂枝羌活湯 治瘧疾處暑前發頭痛項強脉浮惡寒有汗

桂枝　羌活　防風　甘草各半两

右爲粗末水煎如吐者加半夏麯等分　〔一〕

〔感寒〕麻黄羌活湯 治瘧疾頭痛項強脉浮惡風無汗　〔二〕

麻黄去節　羌活　防風　甘草各半两

右爲粗末水煎如吐加半夏麯等分

〔三〕正氣散 退寒瘧止胃寒進飲食

藿香四兩　草果四兩　半夏　陳皮

厚朴　縮砂　甘草各一兩

右爲剉散生姜棗子煎溫服瘧疾候發日早服

（四）[illegible]積散　治躰虛作瘧先寒後熱寒則湯火不能溫熱則冰雪不知冷惡寒無汗　方見傷寒門

冒暑

（五）黃連香薷散　方見中暑門　治伏暑發瘧煩渴者

（六）加減香薷散　治伏暑成瘧煩悶多渴微微振寒寒罷大熱小便黃赤或背寒面垢

香薷半斤　厚朴姜汁炒　扁豆四兩　黃連三兩　檳榔二兩

右剉每服四錢水一盞酒半盞煎至八分去滓沉冷服

伏濕

（七）除濕湯　治瘧疾身重骨節煩疼脹滿自汗喜嘔因汗復浴濕舍皮膚或冒雨濕所致

朮附湯　治証同上　二方並見中濕門

（八）**對金飲子** 治寒熱瘧疾愈後調理脾又治濕瘧

厚朴 去皮薑汁炙 蒼朮 米泔浸去皮 甘草 炙各二兩 陳皮 去白炒黃色半斤

右㕮咀每服四錢水一盞薑三片棗一个煎服一方加草菓倍用蒼朮名草菓平胃散

（七情）**四獸飲** 治五臟氣虛喜怒不節致陰陽相勝結聚涎飲与衛氣相搏發為瘧疾（九）

人參 白朮 茯苓 甘草 減半 橘紅

草菓仁 半夏 棗子 生薑 烏梅 各等分

右㕮咀以鹽少許淹食頃用厚皮紙裹了以水濕之慢火炮令香熟焙乾每服半兩水二盞煎七分未發前併進數服

（熱證）**白虎加桂湯** 治瘧疾但熱不寒者（十）

知母 六兩 甘草 炙二兩 肉桂 去皮 粳米 三兩 石膏 一斤

右㕮咀每服五錢水一盞半煎服

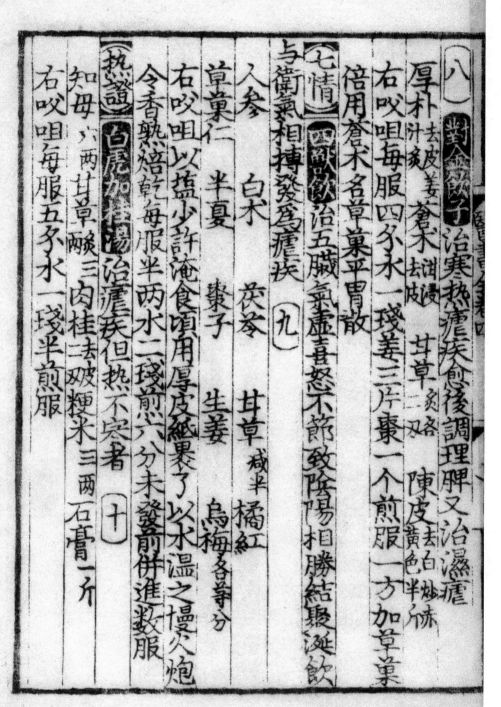

（十一）桂枝黄芩湯 治瘧服藥寒熱轉大者知太陽陽明少陽三陽合病也

甘草　人參　黄芩各四分半　半夏四分

柴胡乙兩　石膏　知母各五分　桂枝二分

右為粗末水煎

（十二）參蘇飲 方見傷寒門 治發瘧熱多寒少兼咳嗽者

（十三）小柴胡湯 方見傷寒門 治瘧疾熱多寒少或單熱頭痛胸滿咽乾

（十四）柴胡加桂湯 治瘧疾先寒後熱兼治支結

柴胡八兩　人參　甘草

半夏泡七次　黄芩　肉桂去皮各二兩

右㕮咀每服五分水一盞半姜七片棗二个煎服若渴者去半夏加人參瓜蔞根同煎服之

（十五）**桂枝石膏湯** 治瘧先寒後熱熱多寒少

桂枝五分 石膏 知母各乙两半 黄芩乙两

右為末分二服水煎服

（十六）**清脾湯** 治瘴瘧脉來弦數但熱不寒或熱多寒少口苦咽乾小便赤澁

青皮去白 厚朴姜製 白朮 半夏湯七次 黄芩 草菓仁 柴胡去芦 茯苓去皮 甘草炙各等分

右㕮咀每服四錢水一盞半姜五片煎至七分去滓温服不拘時候

（十七）**八正散** 治瘧發心煩臉赤声叫煩躁極熱欲冷地上卧及冷水加灯心竹茹煎神效 方見諸淋門

（十八）**白虎湯** 治熱瘧表裏俱熱時時惡寒大渴口乾燥加人参二錢或有汗者宜服 方見暑門

（冷證）**生熟附子湯** 分利陰陽止寒熱治瘧疾欲作胷痞痰嘔

頭眩戰掉〔十九〕

附子二隻一生去皮用一塩湯浸去皮炮用

右各取二錢沉香木香水各一盞薑七片棗七枚煎一盞當發日空心服亦宜以此下黑錫丹可以回元氣墜痰

〔痰證〕〔勝金圓〕治一切寒热瘧痰留胸膈停痰發散不愈者〔二十〕

檳榔四两　常山酒浸蒸焙一斤

右為末麪糊為圓如梧桐子每服三十圓於發前一日臨卧用冷酒吞下便睡至四更再用冷酒吞下十五圓至午方可食温粥忌食热物并一切生冷一方用雞子清為圓

〔二十一〕〔雄黄散〕治久瘧不能食胸中欝欝欲吐而不吐此藥吐之必愈

雄黄　瓜蔕　赤小豆

右為細末每半錢温水調下以吐為度

（二十二）露姜飲 用生姜四两和皮搗汁一椀夜露至曉空心冷服大治脾胃聚痰發為寒熱

〔食瘧〕紅圓子 専治食瘧（二十三）

青皮炒三两 阿魏二分半醋化 京三稜醋煮二两 胡椒一两 蓬朮二錢

右為末別用陳倉米同阿魏醋煮糊為圓如梧桐子每服五十圓至百圓淡姜湯下或因食生菓成瘧用麝香為衣吞下

（二十四）清脾湯 治因食傷脾停滯痰飲發為寒熱

厚朴四两姜製 烏梅去仁 半夏湯去滑 青皮

良薑各二錢 草菓去皮一两 甘草炙半两

右㕮咀每服四錢水一盞姜三片棗一枚煎七分未發前併三服忌生冷油膩之物

〔瘴瘧〕（二五）地龍散 治瘴瘧及諸瘧大熱煩燥

生地龍三條研爛入生姜汁薄荷汁生蜜各少許新汲水調

下如熱熾加腦子少許更効

（二十六）定斎菓飲子　快脾治瘧

草菓仁　蒼朮泔浸　厚朴姜製　陳皮

半夏麯　甘草　烏梅各等分

右㕮咀每服半两水盞半姜五片棗二个同煎七分不拘時

寒多者加乾姜附子熱甚者止加柴胡瘴瘧加檳榔

（鬼瘧）麻黄桂枝湯　治瘧疾寒熱證而夜發名曰鬼瘧（二十七）

麻黄去節一两　炙甘草三分　黄芩五分　桂二分

桃仁三十个去皮尖

右為末水煎服桃仁散血緩肝夜發乃陰經而有邪也

（久瘧）人參養胃湯　方見傷寒門　治瘧疾寒多熱少者必須先

用此藥發散然後用四獸飲之類截之因食瘧加草菓（二十八）

（二十九）柴胡桂姜湯　治瘧疾寒多微熱或但寒不熱并治勞瘧

柴胡四两　桂枝去皮两半　黄芩一两半　瓜蔞根二两

牡砺碎炒　甘草炙　乾姜各一两

右㕮咀每服五錢水一盞半煎八分温服

（三十）灸法　治瘧疾久不愈不問男女於大椎中第一骨節盡處先針後灸三七壯立效或灸第三骨節亦可

（三十一）碧霞丹　治久瘧不愈者

東方甲乙木巴豆取肉去油別研細

南方丙丁火官桂去皮　中央戊巳土硫黄去砂石研細

西方庚辛金白礬別研細　北方壬癸水青黛別研細各等分

右於五月一日修治了用紙各裹以盤盛依前方位排定勿令猫犬及婦人見之安頓神佛前至端午日午時用五家粽尖和前藥令匀圓如梧桐子令患者以綿裹一圓塞於鼻竅中男左女右於未發前一日安之約度尋常發過少許方除

三十二 草菓飲 治寒熱瘧疾初愈服此進食理脾

紫蘇　草菓仁　良薑炒　川芎

青皮去白炒　甘草炒　白芷各等分

右㕮咀每服四錢水一盞煎七分熱服

勞瘧 常山飲 治瘧疾發散不愈漸成勞瘵 三十三

知母　川常山　草菓各二斤

良薑二十兩　甘草炙一斤　烏梅去仁一斤

右㕮咀每服水一大盞姜五片棗一枚煎七分溫服

虛瘧 分利順元散 治體虛之人患瘧寒多不可服截藥者

川烏　附子各一兩　南星二兩　木香五錢□別剉煻時入

右除木香不見火外三味各將一半去皮生用一半炮熟合

和㕮咀每服四分棗七枚生薑十片水一盞煎七分當發前

一日及當發日早晨連進二三服半生半熟能分解陰陽也

三十四 七棗湯 治五臟気虚陰陽相勝作爲痎瘧發作无時或寒多熱少或单寒者

附子一枚炮裂以塩水浸再炮如此七次不浸去皮臍 一方又用川烏代附子以水調陳壁土爲糊炮浸七次

右㕮咀分作二服水一椀姜七片棗七个煎七分當發日淩晨空心温服未久再進一服

三十五 菓附湯 治気虚瘧疾寒多熱少或单寒者

草菓仁 附子炮去皮臍各等分

右㕮咀每服半两水一盞姜七片棗一个煎服不拘時

三十六 四將軍飲 治寒熱店疾作而仆厥手足俱冷昏不知人此雖一時救急之方用之有驗

附子一个炮去皮 訶子四个去核 陳皮四个淨洗 甘草四寸炙

右㕮咀爲四服每服水一盞半姜七片棗七枚煎取一半令熱灌病者立可甦省

三十七 大已寒圓 治瘧疾久虛每發極寒極熱既退則汗出如雨生姜枳實湯吞 一服不作 方見泄瀉門

瘧母 鱉甲飲子 治瘧疾久不愈脇下痞滿腹中結塊名曰瘧母

草菓仁　鱉甲 醋炙　黃耆 去芦　白朮　白芍藥

厚朴 姜製炒　檳榔　橘紅　川芎　甘草 炙各等分

右㕮咀每服四錢水一盞姜七片棗一枚烏梅少許煎七分溫服不拘時

三十八

三十九 老瘧飲 治久瘧結成癥瘕癖在胷脇諸藥不愈者

蒼朮 泔浸　草菓 去皮　桔梗　青皮　川芎 各二錢

陳皮　良薑 各半兩　白芷　茯苓　乾薑 炮各三錢

半夏 湯去滑　枳殼 麩炒　甘草 炙　桂心　紫蘇葉 各二錢

右㕮咀每服四錢水一盞鹽少許煎七分空心服

四十

截法

右用狗蝇一隻去翅足以蝋圓之作一丸當發日冷酒吞下

（四十一）**辰砂丸**治一切脾胃虛瘧邪熱毒者

信砒　甘草各乙分　硃砂二分　大豆四十九粒

為末滴水和丸分作四十丸當發日欲出煎桃心湯下忌熱物

（四十二）**瘧神丹**治諸般瘧疾

信砒一两　雄黃一分

右以五月五日用粽子尖左右研三千下日未出不令鷄犬婦人見丸如桐子大未發前一日面東冷水下一丸

（四十三）**七宝飲**治一切瘧疾無問寒熱多少及山嵐瘴氣寒熱如瘧等證

厚朴姜製　陳皮　甘草炙　草菓仁

常山雞骨者　檳榔　青皮各等分

右㕮咀每服五分水一盞半酒半盞煎取一盞露一宿空心

向東溫服睡少頃時須忌熱物寒多加酒熱多加水

(四十四)(治瘧疾良方)今人治瘧疾多用常山砒霜之類發吐取涎縱使得安脾胃不能不損不若此藥最為穩當

辰砂光明者　阿魏真者各一兩

右研勻和稀糊丸如皂角子大每服一圓空心人參湯化下

痢

今人患痢者古方謂之滯下是也得病之由多因脾胃不和飲食過度停積于腸胃之間不得剋化而又為風寒暑濕之氣干之故為此疾傷熱下痢則赤傷冷則白傷風純下清血傷濕則下如豆羹汁冷熱交併赤白兼下又有如魚腦髓者治法當先用通利之藥踈滌臟腑積滯然後辨以冷熱風濕之證用藥調治熱赤者清之冷白者溫之風濕者分利之冷熱相兼者溫涼

以調之仍須先調助胃氣切不可驟用罌粟殼訶子之類止澁之便停滯不能疎泄未有不致危者凡下痢之脉宜微小不宜浮洪宜滑大不宜弦急身寒則生身熱則死間有瘧痢兼作者惟當分利陰陽理脾助胃因毒物致痢者宜解之不可一槩而論

風　胃風湯　治大人小兒風冷乘虛客于腸胃水谷不化泄瀉注下腹脇虛滿腸鳴㽲痛及腸胃濕毒下如豆汁或下瘀血

白术　白芍藥　川芎　人參

當歸去苗　肉桂去皮　茯苓去皮各等分

右㕮咀每服四錢水一盞入粟米百餘粒煎服　四十五

寒　四十六　不換金正氣散　治臟府受寒下痢赤白加烏梅陳米煎方見傷寒門

四十七　椒文圓　治臟腑虛寒泄痢不止

烏梅去核二两半醋浸布裹蒸搗成無滓又一两半

川椒炒去目　乾姜　赤石脂　黑附子炮各一两
右除烏梅外同為細末将蒸過烏梅肉研勻更入熟棗肉蜜少許丸如梧桐子每服二十丸米飲下

暑

（四十八）**六和湯** 治冒暑伏熱煩悶或渴或小便赤 方見泄瀉門

（四十九）**生料五苓散** 方見中暑門 治伏熱下痢分利陰陽

（五十）**黃連香薷散** 方見中暑門 治感暑下痢鮮血

濕

（五十一）**芍藥蘗皮丸** 治一切濕熱惡痢頻併窘痛無問膿血並宜服之

芍藥　黃蘗各一两　當歸　黃連各半两
右為末水丸小豆大溫水下三四十丸無時兼夜五六服

（五十二）**戊己丸** 治脾經受濕泄利不止米穀不化臍腹刺痛

黃連去鬚　呉茱萸去梗炒　白芍藥各五两
右為末麪糊丸如梧桐子每服二三十丸米飲空心下

〔熱證〕〔五三〕【小承氣湯】治下痢赤黃但煩渴飲冷小便不利得熱則極煩躁渴甚先服此一二服蕩之

〔五十四〕【小柴胡湯】治下痢赤白心中煩燥潮熱渴者加赤芍地榆黃芩門冬淡竹葉煎　已上二方並見傷寒門

〔五十五〕【酒蒸黃連丸】治身熱下痢鮮血煩躁渴多　方見積熱門

〔五十六〕【三味黃丸子】止諸痢

黃連八兩　枳殼四兩　大黃皮栢四兩

右件為細末麵糊為丸空心飯湯下如裏急後重加枳殼湯下

〔冷證〕【大斷下丸】治臟腑停寒臍腹㽲痛下利不已　〔五十七〕

高良姜去芦兩半　牡砺火煅一兩　附子炮去皮臍一兩　乾姜炮一兩半

細辛去土葉七分半　龍骨研一兩半　赤石脂研一兩半　白礬枯一兩

肉豆蔻麵裹煨　訶子煨去核各一兩　酸石榴皮去瓤淨米醋浸一宿取炙令焦黃色二兩

右為末醋煮麵糊丸如梧桐子每服五十丸空心米飲下

（五十八）當歸圓　治冷留腸胃下痢純白腹痛不止

當歸酒浸去芦　芍藥　附子　白朮

乾姜炮　厚朴姜製　阿膠蛤粉炒各一兩　烏梅肉二兩

右為末醋糊丸如梧桐子每服五十丸空心米飲下

（五十九）豆蔻固腸丸　治脾胃虛弱臟腑頻滑下痢赤白

木香　赤石脂　乾姜

縮砂　厚朴姜製　肉豆蔻麪裹煨各一兩

右為末麪糊和丸如梧桐子每服六十丸空心米飲下

（六十）木香散　治脾胃虛弱內挾風冷泄瀉注下水穀不化臍下疞痛腹中雷鳴及積寒久痢腸滑不禁

藿香葉洗焙四兩　赤石脂　附子去皮臍醋煮切焙各一兩　丁香

甘草　當歸去芦焙　肉豆蔻各一兩　訶子皮半兩　木香二兩

右㕮咀每服三不水一盞姜棗同煎空心溫服

（六十一）訶棃勒散 治脾胃虚弱内挾冷氣心脇刺痛嘔吐惡心腸鳴泄利水穀不化漸成痢疾

青皮去穰 肉豆蔻仁麩裹煨 肉桂去皮五分

附子一兩炮去皮臍 訶子仁各四兩

右為末每服三錢水一盞半姜三片煎七分食前温服

（六十二）香茸丸 治血氣衰弱下痢危困

麝香半錢別研臨時入 鹿茸撩去皮毛酥炙一兩

右鹿茸為細末方入麝香以燈心煮棗肉為丸如梧桐子每服五十丸空心米飲下每料添滴乳香半兩尤好

（六十三）（不調）固腸湯 治冷熱不調下痢赤白

罌粟殼三兩醋浸炙 枳殼麩炒 白芍藥各二兩 陳皮 訶子

白姜炮各半兩 當歸 甘草各一兩 人參一兩 木香五分

右㕮咀每服四錢水一盞煎七分空心温服

六十四 **眞人養臟湯** 治大人小兒冷熱不調下痢赤白或如膿血魚腦髓裏急後重臍腹疞痛如脫肛墜下酒毒便血並治之

罌粟殼去蒂盖蜜炙三兩六錢 人參去芦 當歸去芦洗各六錢

肉桂去皮八錢 訶子皮去核一兩二錢 木香一兩四錢不見火 肉荳蔲麪裹煨半兩

白朮焙六錢 白芍藥一兩六錢 甘草一兩八錢炙

右㕮咀每服四錢水一盞煎服臟寒者加附子

六十五 **痢聖散子** 治丈夫婦人遠年近日赤白下痢

黃栢皮去皮 甘草炙 枳殼去穰 罌粟殼去蒂盖

御米即罌粟子各四兩 當歸去芦 乾姜炮各二兩

右㕮咀每服三錢水一盞薤白二條擘碎同煎空心服

六十六 **地榆散** 治大人小兒脾胃氣虛冷熱不調下痢膿血赤多白少或純下鮮血裏急後重小便不利

地榆炒 乾葛各半斤 乾薑炮二兩 當歸去芦三兩

茯苓去皮　赤芍藥各六兩　甘草炙四兩　罌粟殼蜜炒十二兩

右爲末每服二錢用溫熟水調下不拘時服若下痢純白及紫黑血并腸滑不禁者不可服之

六十七　**神效參香散**　治大人小兒臟氣虛怯冷熱不調積而成痢或下鮮血或如豆汁或如魚腦或下瘀血或下紫黑血或赤白相雜裏急後重日夜頻數無問新舊此能治之

白扁豆炒　人參去芦　木香各二兩　茯苓去皮

肉豆蔻煨各四兩　陳皮去白　罌粟去蒂各十三兩

右爲末每服三大錢用溫米飲調下不拘時服

血痢

六十八　**黃連解毒湯**　治熱痢純血方見傷寒門

六十九　**槐花散**　治血痢久不止腹中不痛不裏急後重

青皮　槐花　荊芥穗

右爲末水煎空心熱服

〔七十〕木香散　治隔年痢不止并治血痢尤佳

木香用黃連半兩各剉炒　甘草炙一兩　罌粟殼剉用生薑半兩同炒

右為末入麝香少許每服二錢陳米飲下此方佛智和尚傳

〔七十一〕烏梅圓　治熱留腸胃臍腹疞痛下痢純血或過服熱藥蘊毒于內滲成血痢並能治之

烏梅肉二兩　黃連三兩去鬚　當歸去蘆　枳殼去穰麩炒各一兩

右為末醋糊圓如梧桐子每服七十圓空心米飲下

〔氣痢〕〔七二〕異香散　治七情憂鬱閉氣滯不散腹中脹滿刺痛下痢不止　方見氣門

〔七十三〕牛乳湯　治氣痢泄如蟹渤

蓽撥二錢　牛乳半升

右同煎減半空心服

〔七十四〕木香流氣飲　治証同上　方見氣門

〔積痢〕〔蘇感圓〕去臟腑有積下痢以蘇合香圓与感應圓二粲

和匀元如粟米大每服五十圓淡姜湯空心下〔七十五〕

〔七十六〕〔靈砂丹〕治一切積痢

硇砂　硃砂 並研極細各二分半

右用黃蠟半兩巴豆三七粒去殼皮膜同於銀石器內重湯

煮一伏時候巴豆紫色爲度去二七粒止將一七粒与前藥

二味同研極匀再溶蠟圓藥每旋圓菉豆大每服三圓至五

圓水瀉生姜湯下白痢艾湯赤白痢烏梅湯服時須空心服

畢一時不可喫食物若瘧痢乳香湯下

〔禁口〕痢疾不納飲食者俗謂之禁口今人多以四桂散理中

湯參苓散加肉豆蔻木香或嚥震靈丹等藥調之恐非其治當

以脉證辨之如脾胃脉不弱問而知其頭疼心煩手足溫熱未

嘗多服涼藥者此乃毒氣上衝心肺所以嘔而不食宜用敗毒

散每服四分重陳倉米一百粒姜三片棗一枚水一盞半煎八分溫服若其脉微弱或心腹虛膨手足厥冷初病則不嘔因服罌粟烏梅苦澁凉劑太過以致閉食先嘔此乃脾胃虛弱一方用山藥一味剉如小豆大一半銀石銚內炒熟一半生用同爲末飯飲調下（七十七）

（七十八）治禁口痢

石蓮槌碎去殼留心幷肉碾爲末每服二錢陳米飲調下此疾蓋是毒氣上衝心肺借此以通心氣便覺思食

（七十九）敗毒散加石蓮肉方見傷寒門治下痢熱毒衝心不進飲食

腹痛（八十）姜茶方治痢下腹痛不止肚皮熱手不可近用生姜切碎如粟米大草茶相等煎服効又方煮茶白痢用蜜赤痢用姜若未効用真人養臟湯加楊芍藥當歸立止予

每治人下痢腹痛此二方甚効如未効用〔香連圓〕良方見後

〔八十一〕〔聖棗子〕治一切下痢臍腹疞痛

木香二分半　乳香別研　沒藥別研各一分　肉豆蔻二枚麪裹煨

右為末每服一分入乾棗一枚去核先入一半藥末在內次入水浸巴豆半粒再入藥末半分合定用油餅麪裹一指厚火煨麪熟為度去麪并巴豆不用只細嚼棗藥米飲空心下

〔毒痢〕〔茜根圓〕治一切毒痢及蠱注下血如雞肝心煩腹痛

茜根洗　川升麻　犀角鎊　地榆洗

當歸去芦洗　黄連去須　枳殼去穰麸炒　白芍藥各等分

右為末醋煮米糊為圓如梧桐子每服七十圓空心米飲下

〔休息痢〕〔八十二〕〔姜茶圓〕治休息痢大效

乾姜炮　建茶各等分

右以烏梅取肉丸如梧子大每服三十丸食前米飲下

又方　用多年苦株粉陳倉米飲調下每服二錢効

通治　治赤白痢　八十四

吳茱萸揀淨　黃連去須各等

右爲一處以好酒浸透取出各自揀焙或曬乾爲末糊圓如梧桐子赤痢用黃連圓三十粒甘草湯下白痢用茱萸圓三十粒乾姜湯下赤白痢各用十五粒相合併甘草乾姜湯下

八十五　香連圓　治冷熱不調下痢赤白膿血相雜裏急後重

黃連去芦二十兩用吳茱萸十兩同令赤色去茱萸不用　木香四兩八分八分不見火

右爲細末醋糊爲圓如梧桐子每服二十元空心飯飲下

八十六　水煑木香圓　治一切下痢赤白膿血相雜裏急後重

罌粟殼去蒂穰一兩八分　青皮去白二兩四分　甘草二兩四分

當歸洗去芦六兩　訶子炮去核八兩　木香不見火六兩

右爲末煉蜜圓如彈子大每服一圓水八分盞煎化溫服

（八十七）**駐車圓** 治一切下痢無問冷熱

阿膠 搗碎炒如珠子爲末十五兩以醋四升熬成膏

黄連 去須十兩 當歸 去芦十五兩 乾薑 炮十兩

右爲末以阿膠膏圓如梧桐子每服三十圓食前米飲下

（八十八）**黄連阿膠圓** 治冷熱不調下痢赤白裏急後重臍腹疼痛口燥煩渴小便不利

阿膠 炒二兩 黄連 去須三兩 茯苓 去皮二兩

右黄連茯苓同爲細末水熬阿膠膏搜和丸如梧桐子每服三十圓溫米飲空心下

（八十九）**阿膠梅連丸** 治下痢無問久新赤白青黑疼痛諸證

金井阿膠 淨草灰炒透明白別研不細者再炒研 烏梅肉 去核炒 赤芍藥

黄蘗 剉炒 黄連 乾薑 炮 當歸 焙 赤茯苓 各等分

右爲末入阿膠研勻水丸桐子大溫米飲下十丸食前

兼夜五六服小兒丸如菉豆忌油膩脂肥諸物也

嘔吐

人身以胃爲主賴之以容受五穀但有所傷非不能食且有嘔吐之患故胃虛之人或爲寒氣所中或爲暑氣所干或爲飲食所傷或氣結而痰聚皆能令人嘔吐又有瘀血停積胃口嘔吐之間雜以瘀血當辨其脉證施以治法中寒則脉沉緊四肢厥冷飲食不下當以溫暖之藥調之挾暑則脉弦數煩躁而渴又當清涼之停食則消化之痰聚則順氣溫胃停積者多由憂思過度損傷經絡其脉实大者難治虛細者易愈嘔吐之證各狀不一至若脚氣內攻婦人懷妊中毒因酒俱有嘔吐又須各從其類以求之此證决不可輕用利藥唯腹滿膨脹視其何部不利然後利之三因詳論又此不可不審

傷風　九十　藿香散　治風邪入胃嘔吐自汗或身疼

人參　半夏　官桂　粉草

厚朴　藿香　陳皮　芍藥各等分

右剉散每服四錢生姜五片紅棗一枚煎服養胃湯兼用効

感寒　藿香半夏散　治胃虛中寒停痰留飲噦逆嘔吐　九十一

半夏湯洗七次炒黃色二两　丁香皮半两　藿香葉一两

右㕮咀每服三錢水一盞薑七片煎七分食前溫服

九十二　丁香半夏圓　治胃寒嘔吐吞酸水

丁香一两不見火　乾薑炮　半夏湯洗七次各二两　白朮一两半　橘紅一两

右爲末生薑自然汁打糊圓如梧桐子每服五十圓薑湯下

九十三　理中湯　方見中寒門　專治胃虛感寒嘔吐不止

伏暑　九四　五苓散　治伏暑嘔吐不止藿香煎湯調下未効用

生姜汁調下或消暑丸以姜湯下方並見暑門

九十五 香薷散 方見中暑門 治伏暑嘔吐

受濕

九六 加味治中湯 治脾虛感冒雨濕嘔吐

人參　白朮　乾姜　青皮

陳皮各一兩　半夏　藿香各五錢　甘草三錢

右剉每服四錢生姜五片棗一枚煎服

九十七 藿香安胃湯 治嘔吐不止

藿香葉乙兩半　半夏二兩　陳皮去白二兩　厚朴乙兩姜製

蒼朮三兩　甘草二兩炙

右爲粗末每服五錢水一盞半生姜五片棗二枚同煎去滓溫服

七情

九八 藿香正氣散 治七情鬱結氣嘔大効 方見傷寒門

九十九 大藿香散 治七情傷感氣鬱于中變成嘔吐或作寒熱眩暈痞滿不進飲食

白茯苓去皮 桔梗去芦炒 白术 官桂不見火 甘草炙各半兩
木香不見火各一兩 枇杷葉去毛 人參 藿香葉 半夏麯
右爲末每服三錢水一盞薑五片棗一枚煎七分溫服

痰證 旋覆花湯 治中脘伏痰吐逆眩暈 一百
旋覆花去梗 半夏湯洗七次 橘紅 乾薑炮各一兩
檳榔 人參 甘草炙 白术各半兩
右㕮咀每服四錢水一盞薑七片煎服不拘時

食傷 安脾散 治停飲傷胃以致食噫醋酸嘔吐黃水不已
高良薑一兩以百年塵壁土和水煮乾切片 南木香
草菓麪煨 人參去芦 陳皮去白各半兩 甘草炙一兩半
丁香 胡椒 白茯苓 白术各一兩
右爲末每服二大錢空心米飲入鹽點服鹽酒亦可 百一

熱證 竹茹湯 治胃受邪熱心煩喜冷嘔吐不止 百二

葛根三兩　半夏湯洗七次二兩　甘草炙一兩

右㕮咀每服四錢水一盞入竹茹一小塊薑五片煎七分取清汁冷服不拘時

冷證

丁香煮散　治脾胃虚冷嘔吐不食　百三

丁香不見火　紅豆去皮　甘草炙　益智去皮五兩半　青皮去白　川烏炮去皮　陳皮去白　良薑炮各四兩　胡椒二兩　乾薑炮

右㕮咀每服三錢薑三片塩一捻煎七分空心熱服

百四　丁附治中湯　治胃冷停痰嘔吐不已

丁香　甘草炙　青皮炒　陳皮炒　人參各半兩　附子炮　白朮煨　乾薑煨各一兩

右㕮咀每服四錢水一盞薑五片煎八分空心熱服

百五　玉浮圓　治男子婦人脾胃虚弱一切嘔吐

白殭蠶炒去絲　白朮　乾薑炮　人參　半夏湯洗七次

肉豆蔻麪裹煨　橘紅　白豆蔻仁　丁香　甘草
附子　木香　南星　麥蘗　檳榔各等分
右爲末入生麪一分拌勻用生薑自然汁搜和入百沸湯内
煑令浮亟和圓藥如梧桐子每服五十圓薑湯吞下不拘時
病甚者不過三服惡熱藥者去附子大便秘者除肉豆蔻
〔百六〕胃丹　治眞陽虛憊心火怯弱不養脾土冲和失布胃氣
虛寒胸膈痞塞或不食而脹滿或已食而不消痰逆惡心嘔吐
不已一應脾胃虛弱嘔吐將成翻胃之證並皆治之
朱砂大塊不夾石者五十兩　高良薑剉炒　紅豆　蓽澄茄　胡椒
橘紅各四兩　乾薑炮　附子炮　白豆蔻仁　益智仁
丁香不見火　厚朴薑製　藿香葉　白朮　草菓仁
新羅人參　縮砂仁　肉豆蔻　五味子　麥門冬去心各一兩
右將人參等二十味各如法修製剉如豆大以銀石鍋用白

沙蜜五斤將藥一半同蜜拌勻入銀石鍋內以夾生絹袋盛貯朱砂懸於其內以桑柴火重湯煮四日四夜換蜜五斤入前藥一半和勻再煮三日三夜取砂淘淨焙乾入乳鉢內用玉鎚研十分細以米粽爲圓如菉豆大陰乾每服十粒加至十五粒空心用人參湯下棗湯亦可如或嘔吐用淡薑湯下忌食猪羊等物

百七　養胃湯　治脾胃虛冷不思飲食翻胃嘔吐

丁香　縮砂仁　白豆蔻　人參　麥芽　粉草炙

沉香　肉豆蔻　炮附子　橘紅　麥曲各二分半

右爲細末姜塩湯調下

百八　四君子湯

茯苓　白朮　人參　黃芪各乙兩

右剉如麻豆大每服一兩水二盞生姜五片煎至一盞去滓溫服

如吐瀉轉筋頭痛自汗脉浮者加桂五錢○如吐瀉轉筋頭痛無汗脉浮者加麻黄五多

（通治）（百九）青金丹　治一切嘔吐

硫黄一两　水銀半两

二味同入乳鉢内擂至黑色不見星以姜汁作糊丸如小豆大每服二三十丸米飲下

（百十）生姜橘皮湯　治乾嘔噦或致手足厥冷

橘皮四两　生姜半斤

右㕮咀每服水七盞煮至三盞去滓逐旋温服

名方類證醫書大全卷之四

名方類證醫書大全卷之五

泄瀉

泄瀉之證經中所謂飱泄溏泄洞泄濡泄溢泄水穀注下是也大腸爲五穀傳送之官脾胃虛弱飲食過度或爲風寒暑濕之氣所中皆能令人泄瀉如傷於風其脉必浮下必帶血當以胃風湯等驅散之如寒氣所傷脉必沉細腹肚切痛下必青黑當以附子理中湯治中湯等温暖之若傷於暑則脉沉微煩渴引飲其下如水當以五苓散來復丹以分利之或夾食則又當以胃苓湯下蘇感圓若濕氣所中其脉沉緩腰脚冷痺小便自利不渴其下黃黑色當以滲濕湯藿香正氣散調之因停食而泄者下必臭類抱壞雞子或噫氣作酸先服感應圓推其食積而

後理脾氣體虛弱及年高之人脾氣虛敗而自利者又當投以四柱散殼附圓若脾腎氣虛清晨泄下一二次二神四神圓主之又有腎氣虛而泄者又須金鎖正元丹以固之凡治瀉之法先理其中焦分利水穀然後斷下醫之大法如此若脚氣泄瀉各以類求滑泄一證最忌五虛五虛者脉細皮寒少氣前後泄利飲食不入者是也若得糜粥入胃泄瀉止則可治也

〔風〕〔一〕**胃風湯** 大人小兒風冷乘虛客于脾胃水穀不化泄瀉注下腹痛不止 方見痢門

〔二〕**火炊圓** 治風氣入於腸胃泄瀉下巳

火炊草爲末醋糊丸梧子大每服三十丸空心米飲下

〔寒〕〔三〕**理中湯** 方見中寒門 治臟腑停寒泄瀉不止

〔四〕**大藿香散** 治一切脾胃虛寒嘔吐霍乱心腹撮痛如泄瀉不已最能取効

陳皮去白一兩炙　白乾姜炮半兩　藿香葉　青皮去白麸炒　木香
人参去芦　肉豆蔻麸煨　良姜炒　大麥蘖炒　神麯炒
訶子煨去核　白茯苓　甘草炒　厚朴姜炒各一兩
右爲末每服四錢吐逆泄瀉不下食或嘔酸苦水用水一盞
煨生姜半塊塩一捻煎服水瀉滑泄腸風臟毒陳米飲入塩
熱調下赤白痢甘草黑豆湯下脾胃虚冷宿滞酒食痰气作
暈入塩少許嚼姜棗湯熱服胃氣吃噫生姜自然汁一呷入
塩點服此薬大能消食順氣利臟開胃

暑　加味五苓散　治伏暑發熱及胃湿泄瀉或煩渴小便不利
赤茯苓去皮　澤瀉　木猪苓去皮
肉桂不見火　白术各一兩　車前子半兩
右㕮咀每服四錢水一盞姜五片煎至八分温服不拘时或
嚥下來復丹亦好　五

（六）六和湯　治心脾不調氣不升降霍亂嘔吐或致泄瀉寒熱交作小便赤澁

縮砂仁　半夏泡七次　杏仁去皮尖　人參
甘草各一兩　赤茯苓去皮　藿香葉去土　白扁豆
木瓜各二兩　香薷　厚朴姜製各四兩

右㕮咀每服四錢水一盞薑三片棗一枚煎服不拘時

（七）胃苓湯　治傷暑煩渴引飲所下如水

五苓散見暑門　平胃散見脾胃門　二散和勻各一錢合和烏梅湯下未効加木香砂仁丁香煎服來復丹

（八）五苓散　去桂治伏暑瀉渴米飲或車前子煎湯調下

（九）水浸丹　治伏暑煩渴瀕瀉　方見霍乱門

（十）來復丹　方見中暑門　治伏暑泄瀉

（濕）

（十一）藿香正氣散　方見傷寒門　治感濕泄瀉

十二 戊己圓 方見痢門 脾胃不足濕熱泄瀉不止米谷不化

十三 麯蘖圓 治臟腑受風濕泄瀉不止

芎藭　神麯　白朮　附子各等分

右為末糊圓如梧桐子每服五十圓米飲下

熱證 十四 黃連香薷散 治熱瀉滑利大便熱煩燥小便赤澀

飲冷香薷散每一两加宣連伍錢燈心二十莖車前子一撮或

車前草二根同煎

十五 三元散 五苓散 去桂 皆治熱瀉煩渴三方並見暑門

冷證 十六 椒艾圓 方見痢門 治臟腑虛寒泄瀉不已

十七 四柱散 治元臟氣虛真陽耗散臍腹冷痛泄瀉不止

白茯苓去皮　附子炮去皮　人參　木香濕紙裹火煨

右等分㕮咀每服四錢水一盞姜五片塩少許煎七分空心

溫服 一方加肉豆蔻訶子名六柱散

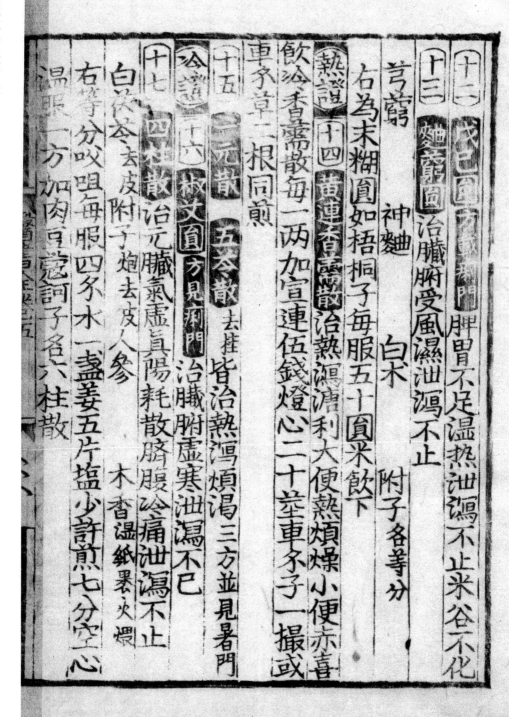

（十八）豆附圓治腸胃虛弱內受風冷水谷不化泄瀉注下

肉豆蔻麪煨四两　木香不見火二两　白茯苓焙四两　乾姜炮

肉桂各二两　附子炮去皮臍四两　丁香不見火一两

右爲末姜汁麪糊圓如梧桐子每服五十圓至百圓用生姜湯下粥飲亦可

（十九）大巳寒圓治沉寒痼冷臟腑虛憊心腹疞痛脇肋脹滿泄瀉腸鳴自利自汗

蓽茇　肉桂各四两　乾姜炮　高良姜各六两

右爲末水煑麪糊圓如梧桐子每服三十粒空心米飲下

（二十）厚腸圓治泄瀉不止

白龍骨　乾姜炮　附子炮去皮臍　厚朴姜製

訶子炮去核　肉豆蔻麪煨　陳皮各等分

右爲末酒糊圓如梧桐子每服五十圓米飲下

二十一　火輪圓　治腸胃虛寒心腹冷痛泄瀉不止

乾薑炮　附子炮去皮臍　肉豆蔻麪裹煨各等分

右爲末米糊爲圓如梧桐子每服五十圓空心米飲下

二十二　禹余粮圓　治腸胃虛寒滑泄不禁

禹余粮石煅　赤石脂煅　龍骨　蓽茇

訶子麪裹煨　乾薑炮　肉豆蔻麪煨　附子炮去皮臍各等分

右爲末醋糊圓如梧桐子每服七十圓空心米飲下

二十三　荳附圓　治臟腑虛寒泄瀉不止氣體羸困不進飲食

肉豆蔻麪煨　附子炮　良薑炒　訶子麪煨

乾薑炮　赤石脂煅　陽起石煅　龍骨生用

白礬枯各三兩　白茯苓去皮　桂心不見火　細辛洗各一兩

右爲末酒煮麪糊圓如梧桐子每服七十圓空心米飲下

二十四　訶黎勒圓　治大腸虛冷泄瀉不止腸腹引痛飲食不下

訶棃勒麪煨 附子炮 肉豆蔻麪煨 木香不見火
呉茱萸炒去梗 龍骨生用 白茯苓去皮 蓽茇各半两
右為末姜煮糊圓如梧桐子每服七十圓空心米飲下

（脾泄）（二五）**六君子湯** 治臟府虛怯嘔吐不食腸鳴腹脹脾泄
四君子湯加肉豆蔻訶子各等分 方見脾胃門

（二十六）**二神圓** 治脾腎虛弱全不進食
破故紙炒四两 肉豆蔻二两生
右為末以大肥棗四十九枚生姜四两切同煮棗爛去姜取棗肉研膏入藥和圓如梧桐子每服五十圓鹽湯下

（二十七）**四神圓** 治脾泄腎泄
肉豆蔻生二两 破故紙炒四两 木香不見火半两 茴香一两炒
右為末生姜煮棗肉為圓如梧子大鹽湯下一方去木香茴香入神曲麥糵如前作圓

腎泄　二十八　**五味子散**　治五更天明溏泄一次名腎泄感陰氣而然

五味子二兩　吳茱萸半兩

右同炒香研爲末每服二錢陳米飲下空心服或加破故並炒香肉豆蔻煨同爲末蒜丸如梧子大每服三十丸米飲下

二十九　**金鎖正元丹**　治腎虛泄瀉小便頻数盗汗遺精一切虛冷之證並治之

五倍子　茯苓各八兩　龍骨煅別研　朱砂別研各三兩

紫巴戟去心十六兩　補骨脂酒浸炒十兩　肉蓯蓉洗焙　葫芦巴炒各一斤

右爲末入研藥令勻酒糊圓如梧桐子每服三十圓空心溫酒鹽湯任下

滑泄　三十　**豆蔻圓**　治腸胃滑泄

陳米一兩　赤石脂研　五味子各半兩　肉豆蔻煨半兩

右爲末每服二錢粟米湯調下日三

〔三十一〕**補脾圓** 治滑泄不禁

附子炮去皮臍半兩 赤石脂 麥蘗各炒 肉豆蔻麪煨

川厚朴去皮姜製 川白姜炮各一兩 蓽發 神麯 白朮各半兩

右爲末醋糊圓如梧桐子早晚空心五十圓米飲下

〔三十二〕**肉豆蔻散** 治脾胃虛弱腹脇脹滿水谷不消臟腑滑泄

蒼朮米泔浸切八兩 乾姜炮 肉桂去皮 肉豆蔻麪煨 厚朴去皮姜制

川烏炮去皮尖 陳皮去白各四兩 茴香炒 甘草 訶子皮各二兩

右爲末每服二錢水一盞姜三片棗一枚煎八分溫服

〔三十三〕**真人養臟湯** 治滑泄不止方見痢門

〔三十四〕**固腸圓** 治滑泄日夜無度

吳茱萸 黃連 罌粟殻去蒂各等分

爲末醋糊丸梧子大每服三十丸空心米飲下

暴瀉

（三五）**硫黃散** 治所下如破水

生硫黃　白滑石

右爲末溫熟水調下立止

（三十六）**車前散** 治暴瀉不止小便不通

車前子爲末每服二钱米飲調下根葉亦可立効

（三十七）**神麯圓** 治暴泄不止

神麯二兩炒　茱萸半兩湯泡七次

右爲末醋糊丸梧子大每服四十丸食前米飲下

（三十八）**粟殼圓** 治同上

肉豆蔻炮　粟殼去蒂蜜炙

爲末醋糊丸梧子大空心米飲下三十丸

通治

（三十九）**實腸散** 治泄瀉不止

川厚朴製一兩半　肉豆蔻　訶子炮　茯苓各一兩　甘草四钱

縮砂　陳皮　蒼朮各一兩　木香半兩

右㕮咀每服三錢姜棗煎服手足冷者加炒乾姜

四十　茶陵西傳九寶飲子　分利水穀止泄瀉

罌粟殼蜜炙　青皮　粉草各二錢半　厚朴姜製　陳皮

木通各一兩　赤茯苓去皮　車前子略炒　黃芪微炒各三錢

右㕮咀每服三錢水一盞煎七分溫服

霍亂

霍亂之證多兼乎吐瀉皆由飲食不節或過飡肥膾乳酪之物傷于五臟停積胃脘脾弱不能運化又爲風寒之氣所干陰陽隔絕揮霍變亂而成此證輕則上吐下瀉兩脚轉筋甚者遍體轉筋腹肚疼痛手足厥冷若欲絕者倉卒之際宜於臍中灼艾及用蓼一把煎湯泡洗次投以姜附湯理中湯之類其脉洪大

者易治脉微腎縮舌捲者難治又有霍亂而不吐瀉者止其類
吐不吐類利不利頃刻之間便致悶絶當多灌鹽湯引其吐
宿食殆盡然後以嚴氏加減理中湯治中湯欵二調之旣愈之
後煩熱多渴者以麥門冬湯調之夏月中暑亦能令人霍亂吐
瀉臨證又當詳審

感寒

（四十一）**通脉四逆湯** 治霍亂多寒肉冷脉絶

吴茱萸炒二兩　附子炮一兩　桂心去皮不見火　木通
細辛洗去葉土　白芍藥　甘草炙各半兩　當歸去芦三分

右㕮咀每服四錢水一盞酒半盞姜七片棗一枚煎溫服

（四十二）**姜附湯** 方見中寒門 治中寒霍亂轉筋手足厥冷

（四十三）**理中湯** 方見中寒門 治中寒霍亂嘔吐

（四十四）**加減理中湯**

若爲寒氣濕氣所中者加附子一兩名**附子理中湯**○若霍

乱吐瀉者加橘紅青橘各一两名治中湯○若乾霍乱心腹作痛先以塩湯少許頻服候吐出令透即進此藥○若嘔吐者於治中湯内加丁香半夏一两每服生姜十片同煎○若泄瀉者加橘紅茯苓一两名補中湯○若溏泄不已者於補中湯内加附子一两○不喜飲水穀不化者再加縮砂仁一两共成六味○若霍乱吐下心腹作痛手足逆冷於本方中去白术加熟附名四順湯○若傷寒結胷先以桔梗枳殼等分煎服不愈者及諸吐利後胷痞欲絶心膈高起急痛手不可近者加枳实茯苓名枳实理中湯○若渇者再於枳实理中湯内加括蔞根一两○若霍乱後轉筋者理中湯内加火煆石膏一两○若臍築者腎氣動也去术加官桂一两半腎悪燥故去术恐作奔豚故加官桂○若悸多者加茯苓一两若渇欲飲水者去白术加附子一两○若飲酒過多及啖炙

慱熱食發鼻衄加川芎一两若傷胃吐血以此藥能中脘分利陰陽安定血脉只用本方

暑 五苓散 去桂姜煎冷服治中暑霍乱吐利方見暑門

四十五 黄連香薷散 姜煎極冷服方見暑門

四十六 水浸丹 治伏暑傷冷冷熱不調霍亂吐利口渴

黄丹水飛一两二豕半炒　巴豆二十五个去皮心油

右同研匀用黄蠟鎔作汁和為丸梧子大每服五丸水浸半時別以新汲水吞下

四十七 桂苓甘露散 治冒暑霍亂方見暑門

四十八 枇杷葉散 方見中暑門 治中暑轉筋煩渴引飲

四十九 霍香正氣散 黄連香薷散 各相拌和姜葱煎服名二香散治暑濕相搏霍亂轉筋煩渴悶亂

濕 五十 霍香正氣散 方載傷寒門 治濕氣霍乱吐瀉

七情　七氣湯治七氣鬱結五臟之間互相刑尅陰陽不和揮霍亂吐利交作　五十一

半夏湯洗五兩　厚朴姜製　桂心各三兩　白芍藥

茯苓各四兩　紫蘇葉　橘皮各二兩　人參一兩

右㕮咀每服四錢水一盞姜七片棗一枚煎空心熱服

食傷　五二　治中湯治食傷吐瀉兼胃脘有寒方見脾胃門

五十三　又方治傷食霍乱吐利以楠木同姜煎熱服効

煩渴　五四　秘方淡木瓜枇杷葉同煎湯溫服

五十五　既濟湯治霍乱後虛煩不得眠

人參　甘草　淡竹葉炙各四兩

麥門冬去心一兩　附子炮半兩　半夏湯洗五分

右㕮咀每服四錢水一盞姜五片粳米百餘粒煎空心溫服

五十六　麥門冬湯治霍乱已愈煩熱多渴小便不利

麥門冬去心　橘皮　半夏　白茯苓

白朮各一两　人參　甘草炙各半两　小麥半合

右㕮咀每服四錢水壹盞半姜五片烏梅少許煎八分温服

（五十七）**白朮散**治傷寒雜病一切吐瀉煩渴霍乱虛損氣弱保養衰老及治酒積嘔噦

白朮　茯苓去皮　人參各半两　甘草乙两半炙

木香乙分　藿香半两　葛根乙两

右爲末白湯調下二钱煩渴加滑石二两甚者加姜汁續續飲之

（五十八）**益元散**治陽經發熱吐瀉煩渴不止方見暑門

（轉筋）

（五九）**木瓜湯**治霍乱吐瀉轉筋擾悶

酸木瓜一两　茴香二分半　甘草炙二分　吴茱萸洗炒七次二两

右㕮咀每服四錢姜五片紫蘇十葉空心煎服

（六十）**又方**大蓼一把濃煎水乘熱薰洗仍喫蓼湯一盞良

（通治）不换金正氣散 方見傷寒門 治霍乱轉筋嘔吐泄瀉

（六十一）姜塩飲 治乾霍亂欲吐不吐欲瀉不瀉

塩一两　生姜半两切

右同炒令色变以水一掬煎熟温服甚者加童子小便一盏

秘結

秘結之證不問氣虚体實之人攝養乖理三焦氣澁運掉不行遂結於腸胃之間皆有秘結之患有風秘寒秘氣秘熱秘濕秘及因病發汗利小便過多以致津液枯竭并婦人産後失血耗氣之餘皆成秘結但當審人氣體虚實脉息沉數若何然後用藥治療之法熱實者通利之寒虚者温行之氣結而澁者潤滑之風濕而秘者疏利之津液枯竭者補益之臨證更宜詳審盡實用藥不可一槩而論

實秘　六十二　牛黄散　治上焦熱藏府秘結

大黄乙兩　白牽牛頭末五分

右為細末有厥冷用酒調下三錢無厥冷而手足煩者蜜湯調下

六十三　脾約麻仁圓　治腸胃熱燥大便秘結

厚朴去皮姜製炒半斤　芍藥　枳實麩炒各半斤

杏仁去皮尖炒五兩半　大黄蒸焙一斤　麻仁別研五兩

右為末蜜和圓如梧桐子每服二十丸臨卧用溫水下大便通利即止

六十四　檳榔圓　治大腸實熱氣壅不通心腹脹滿大便秘結

黄芩各一兩　大黄蒸　麻子仁炒去殻別研　檳榔　白芷

枳實麩炒　羌活去芦　牽牛炒　人參半兩　杏仁

右為末煉蜜圓如梧桐子每服四十圓空心熱水下

〔虛秘〕〔六十五〕〔潤腸五仁圓〕治津液枯竭大腸秘澁傳導艱難

桃仁 杏仁炒去皮各一兩 栢子仁半兩

松子仁一錢二分 郁李仁一錢炒 陳皮四兩別為末

右將五仁別研為膏入橘皮末研勻煉蜜圓如梧桐子每服五十圓空心米飲下

〔六十六〕〔半硫圓〕治年高冷秘虛秘及痃癖冷氣

生硫黃研細 半夏湯洗七次焙乾為末各等分

右和勻用生姜自然汁打麪糊圓如梧桐子每服五十圓空心溫酒姜湯任下

〔六十七〕〔潤腸圓〕治發汗過多耗散津液大腑秘結

肉蓯蓉酒浸焙二兩 沉香別研一兩

右為末用麻子仁汁打糊圓如梧桐子每服七十圓米飲下

〔六十八〕〔葱白散〕治老人大便不通

葱白二莖　阿膠一片

右以水煎葱候熟不用却入阿膠溶化温服

風秘　六十九　潤腸圓　治大便秘澁不通

陳皮半兩　阿膠炒　防風各二錢半

杏仁炒去皮尖　枳殼去穣炒　麻仁各半兩

右爲末煉蜜圓如梧桐子每服五十圓蘇子湯荊芥湯任下

七十　潤腸丸　治大腸風結氣澁

肥皂角五片醋炙焦去皮及子五片生用去皮及子二味共爲末以水一升揉取濃汁濾過慢火炒銀石器中熬成膏子入後藥

南木香一分　青橘皮乙分去穣

檳榔乙分生用　陳橘皮乙分去白秤

右四味爲末和前皂角末令均却以皂角膏搜和成劑看得所從如硬入少蜜爲丸如桐子大每服三十丸空心温水下

（七十一）枳殼圓 治腸胃風氣壅盛大便秘實

皂角（一挺去黑皮炒） 枳殼（去穰炒） 川大黄（二两炒） 羌活（去芦）

木香（不見火） 橘紅 桑白皮（蜜炙） 香白芷（各二两）

右爲末煉蜜圓如梧桐子每服七十圓空心米飲或薑湯下

（湿秘）檳榔散 治腸胃受湿大便秘澁（七十二）

檳榔（不拘多少）

右爲末每服二錢用蜜湯點服不拘時

（氣秘）橘杏丸 治老人氣秘大腑不通（七十三）

橘紅（取末） 杏仁（湯浸去皮尖各等分）

右爲末煉蜜圓如梧桐子每服七十圓空心米飲下

（七十四）紫蘇麻仁粥 能順氣滑大便

紫蘇子 麻子仁

右二味不拘多少研爛水濾取汁煮粥食之

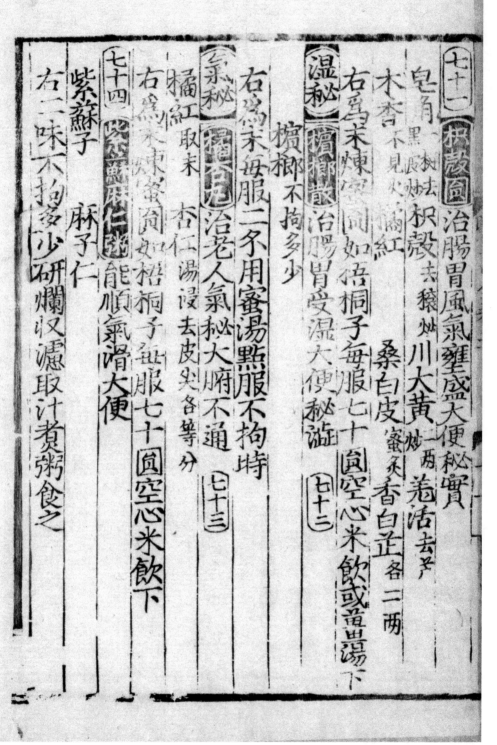

七十五 **三和散** 治七情之氣結于五臟不能流通以致脾胃不和心腹痞悶大便秘澁

羌活去芦 紫蘇去梗 宣州木瓜薄切焙

沉香各一两 木香 白术 檳榔各七钱半

芎藭三两 甘草 陳皮各七钱半 大腹皮炙一两

右㕮咀每服二錢水一盞煎六分不拘時

七十六 **南木香丸** 治大便秘結

南木香不見火 檳榔 麻仁 枳殼

右等分先將枳殼去穰每个切作四片用不蛀皂角三寸生姜五片巴豆三粒略槌碎不去殼用水一盞將枳殼同煮和滚濾去生姜巴豆皂角並不用只將枳殼細剉焙乾爲末入前木香檳榔麻仁同爲末煉蜜爲丸蜜湯下不拘時候

七十七 **四磨湯** 治氣滯腹急大便秘澁有熱者加大黄枳殼名

六磨湯 方見喘急門

〔七十八〕〔掩臍法〕治大小便不通連根葱一二莖帶土生薑一塊淡豆豉二十一粒塩二匙同研爛捏作餅子烘熱掩臍中以帛札定良久氣透自通不然再換一劑

〔積滯〕〔七十九〕〔木香逐氣丸〕治食積氣滯通利大便又治脚氣小腸氣諸氣攻刺腹痛

橘紅　青皮　檳榔各半兩　南木香二錢

巴豆肉一錢半研如泥入藥夾研

爲末姜汁調神麯末爲糊丸如麻子大每服十丸姜湯下如氣攻腹痛枳殼木瓜湯下

〔八十〕〔木香三稜散〕治腹中有虫面色痿黄一切積滯

黑牽牛半生半炒　大腹子炙用　檳榔　木香　雷丸

錫灰醋炒　三稜炒　蓬朮煨　大黄已上各乙兩

右爲細末每服三錢空心用蜜水調下或沙糖水亦可須先將燒肉一片口半嚼之休嚥下吐出口中肉汁後服藥

通治（八十一）潤腸湯 治大便秘澁連日不通

麻子仁一盞半細研用水浸濾去滓取濃汁 脂麻半盞微炒研用水浸取濃汁

桃仁一兩湯浸去皮麸炒黃研如泥 荆芥穗擣末各一兩

右用前藥入鹽少許同煎可以代茶飲之以利爲度

（八十二）順氣圓 治三十六種風七十二般氣上熱下冷臟腑秘澁

錦紋大黃五兩一半生用一半濕紙裹煨 車前子二兩半

白檳榔二兩 火麻子仁炒赤色退殼用二兩別研入

川牛膝酒浸三宿 郁李仁湯泡去皮別研

兎絲子酒浸焙乾別研為餅曬乾却入 乾山藥各二兩

山茱萸去核 防風去蘆 枳殼去穣麸炒 獨活各一兩

右爲末蜜圓如梧桐子每服二十圓茶酒粥飲任下

二十三〔蜜導法〕凡秘結服藥不得通利者宜用此以導之若土瓜根及大猪膽汁皆可爲導

蜜四兩

右置銅器中微火煎之稍凝如飴狀攪之勿令焦熱時急捻作挺子如指許長投於穀道中以手按住大便來時乃去之

咳嗽

肺爲五臟之華蓋聲音之所從出皮毛賴之而潤澤腎水由茲而生養腠理不密外爲風寒暑濕之氣所干皆能令人咳嗽傷風則脉浮增寒身熱自汗煩燥鼻引清涕欲語未竟而咳傷寒則脉緊無汗惡寒煩燥不渴遇寒而咳傷熱則脉數煩渴引飲咽膈乾燥咳唾稠粘傷濕則脉細咳則四肢重着骨節煩疼又有七情之氣傷于五臟六脉逆于肺經亦能致咳喜傷心者咳

而喉中介介如腫狀不已則小腸受之咳狀與氣俱失怒傷肝者咳而兩脇下痛不已則膽受之嘔吐若汁思傷脾者咳而右脇下痛引至肩背不已則胃受之嘔吐痰沫憂傷肺者咳而喘息有声甚則唾血不已大腸受之咳則遺屎恐傷腎者咳而腰背相引痛不已則膀胱受之咳而遺溺咳而不已三焦受之咳則腹滿不欲食治療之法宜詳審其脉證若外感邪氣止當發散又須觀病者之虛實用藥若内因七情而得者又當隨其部經與氣口相應脉浮緊為虛寒沉數為実熱弦濇為少血洪滑則多痰咳嗽之脉浮大者易治沉微者難愈大槩以順氣為先下痰次之又有停飲而咳者又須消化之切不可輒用罌粟殼等藥澁之又有寒邪未除者亦不可便用補藥最忌憂思過度房室勞傷否則多成瘵疾之證謹之謹之

【傷風】【八四】【三拗湯】治感冒風邪鼻塞声重語音不出咳嗽喘急

甘草不炙　麻黄不去節　杏仁不去皮尖各等分

右㕮咀每服五錢水一盞薑五片煎服以得汗爲愈

（八十五）**細辛五味子湯**治肺經感冒風邪咳嗽倚息坐卧不安

北細辛去苗　半夏湯去滑各一兩　甘草炙　烏梅去核各一兩半

罌粟殼去蒂　五味子各三錢　桑白皮炒二兩

右㕮咀每服三錢水一盞半薑十片煎一盞溫服

（八十六）**大利膈丸**治風痰實喘滿咳嗽風氣上攻

牽牛四兩生用　半夏湯洗二兩　皂角去皮絲酥炙二兩

木香半兩　青皮去白二兩　槐角一兩炒　加枳殻　大黄炙各五錢

右爲細末生薑麪糊爲丸每服五十丸生薑湯下

（八十七）**祛痰丸**治風痰喘嗽

人參　木香　天麻　槐角子　陳皮去白上各一兩

茯苓　青皮去穰　白术煨　半夏　牙皂角去皮弦炙五錢

右為細末生姜自然汁打糊為丸如梧桐子大每服五七十丸食後臨卧温酒送下姜湯亦可

（八十八）人參荊芥散 治肺感風邪上壅咳嗽頭目不清言語不出咽乾項強鼻流清涕

麻黄去根節 細辛去土洗 桔梗去芦炒 荊芥穗 陳皮去白 半夏湯洗七次 杏仁去皮尖 人參 甘草炙各半両 通草

右㕮咀每服四錢水一盞半姜五片煎八分食後温服

（八十九）橘蘇散 治傷寒咳嗽身熱有汗惡風脉浮数有热服杏子湯不得者

紫蘇葉 杏仁去皮 甘草炙半両 白朮 橘紅 半夏洗七次 桑白皮炙 貝母去心 五味子各一両

右㕮咀每服四〆水一盞姜五片煎七分温服不拘時

（九十）玉芝圓 治風壅痰甚頭目昏眩咳嗽声重咽膈不利

人参去芦　乾薄荷　白茯苓去皮　白礬枯

天南星米泔浸焙各三十两　半夏湯洗七次姜汁和作麯六十两

右爲末生姜汁煮麪糊圆如梧桐子每服三十圆食後姜湯下如痰盛燥热薄荷湯下

感寒四　小青龍湯方見傷寒門　治感寒咳嗽喘息不得睡卧

九十二　五拗湯　治感寒咳嗽上氣喘急

麻黄不去節　杏仁不去皮　甘草生用　荆芥穗　桔梗各等分

右㕮咀生姜三片同煎温服咽喉痛甚者煎熟後加朴消少許一方去桔梗荆芥用半夏枳实等分

九十三　華盖散　治肺感寒邪咳嗽声重胷膈煩滿頭目昏眩

紫蘇子炒　赤茯苓去皮　陳皮去白　桑白皮

杏仁去皮尖炒　麻黄去根節各一两　甘草炙半两

右爲末每服二錢水一盞煎七分食後温服

九十四 金沸草散 方見傷寒門 治肺感寒鼻塞声重咳嗽不已

九十五 款冬花散 治肺感寒邪咳嗽喘滿胸膈煩悶痰涎壅盛喉中哮呷鼻塞流涕咽喉腫痛

麻黃去根節 阿膠炒 貝母去心炒各二十文 桑葉洗焙 知母

款冬花去梗各十九 甘草炙 半夏湯洗姜製 杏仁去皮炒各二十文

右㕮咀每服三錢水一盞姜三片煎食後溫服

伏暑 九六 六和湯 治傷暑生痰喘滿加麥門冬烏梅煎就吞消暑丸 方並暑門

受濕 九七 不換金正氣散 治傷濕四肢重着骨節疼痛洒淅咳嗽加木瓜煎 方見傷寒門

九十七 白朮湯 治五臟受濕咳嗽痰多氣喘身体重着脉來濡細

白朮二兩 五味子 半夏湯洗七次

白茯苓去皮 橘紅各一兩 甘草炙半兩

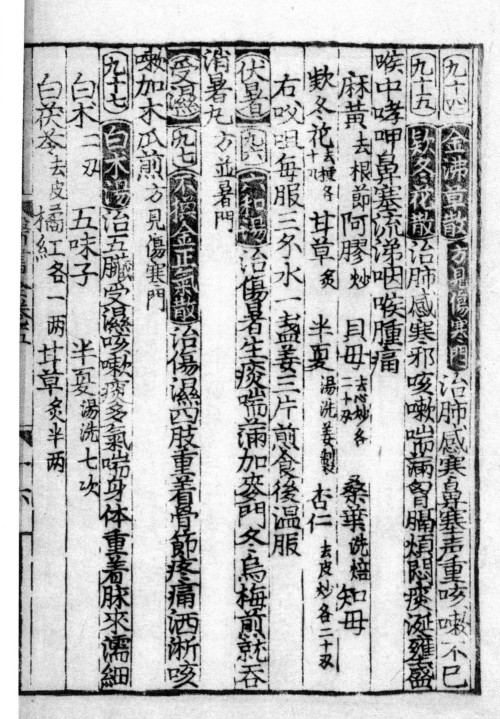

右㕮咀每服四錢水一盞姜五片煎八分温服不拘時

（七情）（九八）分心氣飲 治憂鬱得嗽每服三錢加枳殼一錢五

味二十粒煎

（四時）（[illegible]九）敗毒散 方見傷寒門 治傷寒發熱咳嗽頭疼

（一百）[illegible]飲子 治感冒咳嗽寒熱壅盛

人參去芦　桔梗　半夏洗七次　五味子

赤茯苓　白朮各一兩　枳殼　甘草炙各半兩

右㕮咀每服三錢水一盞姜五片煎七分空心服治寒壅著

加杏仁不去皮紫蘇各半兩

（百一）八味款冬花散 治肺經寒熱不調涎嗽不已

款冬花洗焙乾　紫菀茸　五味子　甘草炙各七錢半

桑白皮炒　麻黃去節　杏仁湯洗去皮炒　紫蘇葉各一兩

右為粗末每服五錢水盞半入黃蠟皂角子大煎一盞熱服

百二 温肺湯 治肺虚感冷咳嗽吐痰

半夏　陳皮　北五味子　乾姜　辣桂

杏仁去皮尖各一两　細辛　阿膠炒　甘草炙各半两

右㕮咀每服三錢姜棗煎服

百三 加味理中湯 治肺胃俱寒咳嗽不已

甘草炙　半夏　茯苓　乾姜不炒　白朮

橘紅　細辛　北五味子　人參各等分

右㕮咀每服三錢姜棗煎食前服

百四 温中化痰丸 治停痰留飲胷膈滿悶頭眩目暈咳嗽涎唾或飲酒過多嘔噦惡心

青皮去白　良姜去芦炒　乾姜炮　陳皮去白各五两

右為末醋麪糊丸如梧桐子每服五十丸米飲下不拘時

右為末每服二錢水一盞姜四片煎七分温服不拘時

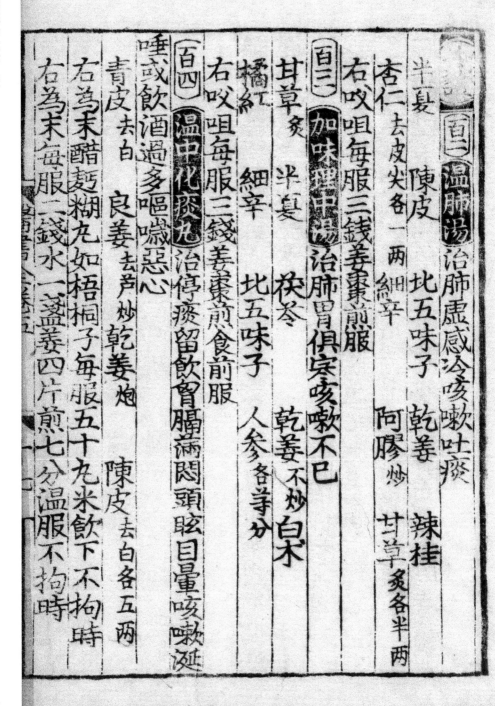

（百五）溫肺湯　治肺虛久客寒飲發則喘嗽不能坐卧嘔吐痰沫不思飲食

白芍藥六兩　五味子去梗　乾姜炮　甘草炒各三兩　杏仁

肉桂去皮　半夏煮焙　陳皮去白　細辛去芦二兩

右㕮咀每服三錢水一盞煎八分食後兩服滓再煎一方去白芍藥細辛二味

（百六）胡椒理中圓　治肺虛感寒氣不宣通咳嗽喘急胷腸氣逆不進飲食嘔吐痰水

欵冬花去梗　胡椒　甘草炙　陳皮去白　白术五兩

蓽撥　良姜　細辛去苗　乾姜各四兩

右為末煉蜜圓如梧桐每服五十圓溫湯酒米飲任下

（百七）易簡杏子湯　治咳嗽不問外感風寒內傷生冷及虛勞咯血痰飲停積悉皆治療

人參　半夏　茯苓　細辛錢半　乾姜錢半

甘草炙　官桂錢半　芍藥　五味子

右㕮咀每服四錢水一盞半用杏仁去皮尖五枚姜五片煎至六分去滓服○若感冒得之加麻黄等分若脾胃素實者用御米殼去筋膜碎剉醋淹炒等分每服加烏梅一个煎服其効尤驗○嘔逆悪心不可用此○若久年咳嗽氣虚喘急去杏仁人參倍麻黄芍藥如麻黄乾姜五味子各增一半名小青龍湯

熱證　百八　紫菀丸　治熱嗽辰時喫酉時可安又治痰喘

枇杷葉　木通　款冬花　杏仁

桑白皮等分　大黄減半

爲末蜜圓雞頭大食後臨夜噙化

百九　貝母散　治證同上

知母　貝母　巴豆七粒同貝母炒焦熟去巴豆不用各一兩

刮散餳糖一塊同煎服一方以二母為末入巴豆霜少許臨卧用生姜二片蘸藥夾定細嚼咽下

百十　小柴胡湯　治熱嗽啜冷水而暫止者加桑白皮杏仁五味子煎煩熱加麥門冬嗜卧減食加白术煎　方見傷寒門

百十一　瀉白散　治肺臟氣實心胸壅悶咳嗽煩喘大便不利

桔梗去芦炒　地骨皮去木　甘草炙　瓜蔞子

升麻　半夏湯洗七次　杏仁去皮　桑白皮炙各等分

右㕮咀每服四錢水一盞半姜五片煎八分食後溫服

喘嗽　百十二　人參紫菀湯　治肺氣不調咳嗽喘急久不愈者

五味子二分半　杏仁半兩　人參　京紫菀　甘草各二分半

縮砂一兩　桂枝二分半　罌粟殼去穰蜜炙一兩　款冬花半兩

右㕮咀每服四分水一盞姜五片烏梅一枚煎服

(百十三)紫蘇半夏湯 治喘嗽痰涎寒熱往來

紫蘇　半夏湯洗七次　紫菀茸　陳皮

五味子各半兩　杏仁去尖皮乙兩麩炒　黄桑白皮二兩半

右為粗末每服三𠄡生姜三片水煎日進三服

(百十四)人參理肺散 治喘嗽不止

麻黄乙兩炒去節　御米殼三兩炒　人參二兩

當歸　木香各乙兩　杏仁二兩麩炒

右為粗末每服四𠄡水煎

(百十五)杏仁煎 治老人久患肺喘咳嗽不已睡卧不得服之立定

杏仁去皮尖　胡桃肉

右各等分研為膏入煉蜜少許和搜得宜丸如大彈子大每服一二丸食後臨卧細嚼生姜湯送下

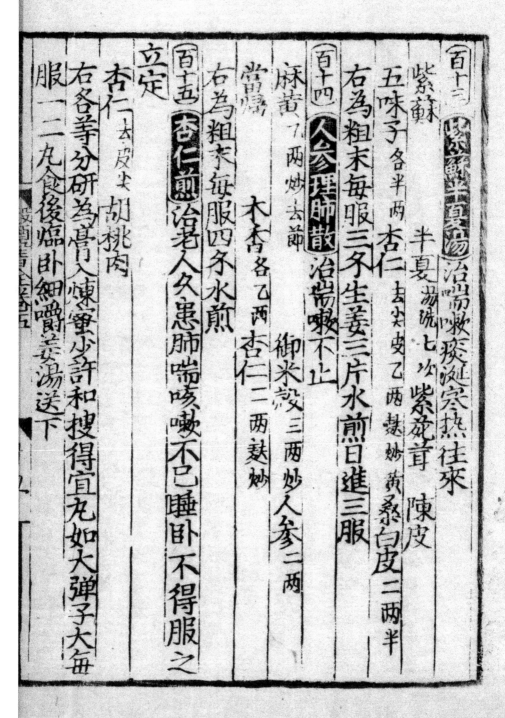

百十六 **大降氣湯** 治上盛下虛膈壅痰实喘嗽咽乾不利

紫蘇子微炒 川芎 細辛去葉土 前胡

當歸洗焙 厚朴去皮姜炒 桔梗去芦 白茯苓去皮

半夏麯炙 陳皮去白 肉桂去皮 甘草炙各等分

右㕮咀每服三錢水一盞姜五片紫蘇五葉同煎溫服

百十七 **平肺湯** 治肺氣上壅喘嗽痰实寒熱往來咽乾口燥

陳皮一兩 半夏洗七次 苦梗炒 薄荷 紫蘇

烏梅去核 紫菀 知母 桑白皮蜜炒 杏仁炒

五味子 罌粟殼蜜炒各七分半 甘草炙半兩

右㕮咀每服三錢水一盞姜三片煎六分食後溫服

百十八 **杏參散** 治胸脇脹滿上氣喘急咳嗽倚息不得睡卧

桃仁去皮炒 人參 桑白皮蜜炙米泔浸 杏仁去皮炒各等分

右㕮咀每服三錢水一盞薑棗煎不拘時

百十九　蘇沉九寶湯　治老人小兒素有喘急遇寒暄不常發則連綿不已咳嗽哮吼夜不得睡

桑白皮　甘草　大腹皮連皮　官桂　麻黃

薄荷　陳皮　紫蘇　杏仁去皮各半兩

右㕮咀每服三錢水盞半薑三片烏梅半個煎六分溫服

百二十　人參清肺湯　治肺胃虛寒咳嗽喘急坐卧不安并治久年勞嗽唾血腥臭

阿膠炒　杏仁去皮炒　桑白皮　地骨皮　人參

知母　烏梅去核　罌粟殼去蒂蓋蜜炙　甘草炙各等分

右㕮咀每服三錢水盞半烏梅棗子各一枚同煎至一盞濾去滓食後溫服

痰嗽

百廿一　半夏丸　治肺藏蘊熱痰嗽胸膈塞滿

瓜蔞子去殼別研　半夏湯泡七次焙取末各一兩

右件和均姜汁打麪糊為丸桐子大每服五十丸食後姜湯下

百二十二 **玉液丸** 治風壅化痰涎利咽膈清頭目除咳嗽止煩熱

寒水石（燒令赤出火毒水飛過三十兩） 半夏（湯洗為末十兩） 白礬（枯十兩研細）

右合研麪糊丸如梧桐子每服三十丸食後淡姜湯下

通治 **蠟煎散** 順肺氣利咽膈止咳嗽化痰涎 百廿三

款冬花 紫菀（洗去土焙） 甘草（炙各七錢半） 五味子（炒半兩）

桑白皮 桔梗 杏仁（去皮炒） 紫蘇葉（各一兩）

右㕮咀每服四錢水一盞入黃蠟少許同煎食後臨卧溫服

百廿四 **平氣飲** 治一切咳嗽并吐痰涎惡風不能食者

人參 白术 川芎 當歸 桂心

五味子 甘草 乾木瓜 紫蘇子

茯神 烏藥（去木） 杏仁（去皮炒） 白芷（各等分）

右㕮咀每服四錢水一盞薑三片煎八分食後溫服

百廿五 人參蘇飲 方見傷寒門 治上膈有熱咳嗽聲重

久嗽 紫參丸 治遠年日近咳嗽諸藥不効者 百二十六

紫參　甘草炙　桔梗各一两　五味子

阿膠炒如珠各半两　肉桂去皮　烏梅肉　杏仁湯去皮炒各一分半

右為末煉蜜為丸每两作十五丸每服一丸用新綿裹定於

湯內温過噙化津嚥

嗽血 百二十七 百花膏 治喘嗽不已或痰中有血

欵冬花　百合蒸焙各等分

為細末煉蜜為丸龍眼大每服一丸臨臥細嚼薑湯嚥下含化

百二十八 紫菀茸湯 治飲食過度或食煎煿邪熱傷肺欬嗽咽痒

痰多唾血喘急脇痛不得安卧

紫菀茸洗　經霜桑葉　欵冬花　百合蒸焙

杏仁去皮尖　阿膠蛤粉炒　貝母去心　蒲黃炒

半夏湯洗七次各兩　犀角鎊　甘草炙　人參各半兩

右㕮咀每服四錢水一盞半姜五片煎八分食後溫服

（肺癰）（桔梗湯）治肺癰咳嗽膿血咽乾多渴大小便赤澁

桔梗去芦　貝母去心膜　當歸去芦酒浸　瓜蔞子

枳殼去穰麸炒　薏苡仁炒　桑白皮蜜水炙　防已各一兩

甘草節生用　杏仁去皮尖麸炒　百合蒸各半兩　黄芪去芦一兩半

右㕮咀每服四錢水一盞半姜五片煎服不拘時大便秘加大

黄小便赤少加木通（百二十九）

（勞損）（人參潤肺丸）治肺氣不足咳嗽喘急久年不愈漸成虛

勞及療風壅痰實頭目昏眩口舌乾燥涕唾稠粘（百三十）

人參　款冬花去梗　細辛去葉　甘草炙各四兩

肉桂去皮　桔梗各五兩　杏仁去皮炒四兩　知母六兩

右為末煉蜜丸如雞子大每服一丸食後細嚼淡姜湯下

〔百二十一〕**人參養肺丸** 治肺胃俱傷氣奔於上客熱熏肺咳嗽喘急胸中煩悶涕唾稠粘或有勞傷肺胃吐血嘔血並治之

人參去芦　黄芪去芦蜜炙各一兩八分　瓜蔞根　白茯苓去皮各六兩

杏仁去皮炒一兩四分　皂角子三百个炒　半夏湯洗七次為末生姜汁和作餅四兩炒

右為末煉蜜圓如彈子大每服一丸食後細嚼用紫蘇湯下如喘急用桑白皮湯下

〔百二十二〕**鍾乳補肺湯** 治肺氣不足久年咳嗽以致皮毛焦枯唾血腥臭喘之不已

鍾乳碎如米　桑白皮　肉桂去皮　白石英如米　五味子

款冬花去梗　紫菀洗去土各二兩　麥門冬去心各三兩　人參去芦

右除鍾乳白石英外同為粗末後入鍾乳等同拌勻每服四錢水一盞半姜五片棗一枚粳米三十粒煎七分用綿濾去滓食後溫服

【百二十三】【團參飲子】治憂思喜怒飢飽失宜致傷脾肺咳嗽膿血增寒壯熱漸成勞瘵者

人參　紫菀茸洗　阿膠蛤粉炒　百合蒸

細辛　款冬花　杏仁炒　天門冬湯浸去心

半夏湯洗　經霜桑葉　五味子各一兩　甘草炙半兩

右㕮咀每服四錢水一盞半姜五片煎七分食後溫服氣嗽者加木香唾血而熱加生地黃唾血而寒加鍾乳粉疲極咳嗽加黃芪損肺唾血加沒藥藕節嘔逆腹滿不食加白朮欬而小便多者加益智仁咳而面浮氣逆加沉香橘皮煎

名方類證醫書大全卷之五

名方類證醫書大全卷之六

痰氣 附 諸飲

人身之痰如長流水貴乎順行又賴土爲之堤防偶爲風所逆或爲物所礙滯則使有聲可以過顙故痰之爲疾或由脾土虛弱不能攝養金肺或爲四氣七情所干氣壅痰聚發而爲喘爲咳又有水飲停滯胷膈亦能爲喘爲咳爲嘔爲泄爲眩暈心嘈怔忪爲寒熱爲疼痛爲腫滿爲攣躄爲癃閉痞膈皆痰所致古方所載四飲生六證懸飲者飲水流在脇下咳嗽引痛溢飲者飲水流於四肢當汗而不汗身體疼重支飲者欬逆倚息短氣不得臥其形如腫痰飲者其人素盛今瘦腸間瀝瀝有声留飲者背寒如手大或短氣而渴四肢歷節疼痛脇下滿引缺盆欬嗽

轉其伏飲者脇滿喘咳嘔吐發則寒熱腰背引痛眼淚流出其人振振惡寒其脉皆弦微沉滑治法懸飲當下之溢飲當發其汗支飲則隨證汗下痰飲則用溫藥從小便利之此固定法而嚴氏獨以痰飲之疾皆氣不順而致之當順氣爲先分導次之氣順則津液流通痰飲自下亦至當之論亦有腎氣虛寒不能攝養腎水使邪水溢上多吐痰唾又當溫利之八味圓最得其宜或因酒後停飲而嘔者二陳湯丁香煑散主之或脾胃爲物所傷而停積痰飲五套圓破飲圓主之臨病之際更宜詳審

風（一）**半夏利膈圓** 治風痰壅甚頭疼目眩咽膈不利涕唾稠粘并治酒過停飲嘔逆惡心胷脇引痛腹內有聲

半夏湯洗三兩　白朮　白茯苓去皮　白礬生　人參

滑石　貝母各一兩　天南星生用一兩半　白附子生用二兩

右爲末麪糊圓如梧桐子每服三十圓食後薑湯下

〔二〕**華氏分涎湯**治風痰晉滯膈間喘滿惡心涎唾不利

陳皮去白　新羅揀參　半夏湯洗七次令軟每个切四片薑汁浸一宿

枳實　苦梗　大南星去外皮濕紙包灰火煨香熟取出各等分

右㕮咀每服三錢水一盞薑十片同煎食後服

〔三〕**星香散**治風壅痰盛方見風門

〔寒〕〔四〕**枳實理中圓**方見傷寒門理中焦痞滿逐痰飲止腹痛

小青龍湯方見傷寒門治溢飲倚息喘滿不得卧者

〔熱〕〔五〕**治痰熱**客於上焦多能令人昏眩

赤茯苓各七錢半　紫蘇子　人參　前胡　木香生用各半兩

半夏湯洗七次　枳殼麸炒　甘草炙　陳皮

右㕮咀每服三錢水一盞生薑七片煎至七分熱服

〔六〕**大人參半夏丸**治化痰墜涎止嗽定喘諸痰不可盡述

茯苓去皮　人參　天南星　薄荷葉各半兩　乾生薑

白礬生 寒水石各一两 蛤粉二两 藿香葉一分

右爲末麪糊丸如小豆大生姜湯下二三十丸食後温水亦得一法加黄連酒拌 黄蘗一两 水丸取效愈妙治酒病調和臟腑

〔七〕化痰圓 治停痰宿飲

半夏 人參 桔梗細切 姜汁製 白茯苓各一分

前胡半两 白术一两 枳實 甘草各半两 香附子一两

右爲末用半夏姜汁煮糊圓如梧桐子每服四十圓姜湯下

〔八〕枳殼半夏湯 除熱痰下氣寬中利膈清上治痞滿

枳殼 半夏 黄芩 桔梗各一两

甘草五錢

右剉每服四錢姜三片桑白皮五寸烏梅一枚煎温服如若未效更加甜葶藶馬兜苓防已薄荷同煎立效熱痰黄色者是也

【冷】九【暖胃丸】去虛痰利冷飲

硫黃研　白礬枯炒　丁香　茴香炒

木香各一两　半夏二两姜汁炒

右爲末姜汁煮麪糊丸如梧桐子每服二十丸空心米飲下

【十】【靈砂白丸子】治元氣虛弱痰氣上攻風痰壅塞嘔吐

靈砂　青州白圓子末各一两各碎

右和勻以生姜自然汁打秫米糊丸如梧桐子每服三十丸空心人參湯或棗湯下

【十一】【丁香半夏圓】治脾胃宿冷胷膈停痰嘔吐惡心吞酸噫醋心腹痞滿不思飲食

肉豆蔻　木香　丁香　人參去芦

陳皮去白各[illegible]半　藿香葉半两　半夏湯洗七次姜製三两

右爲末以生薑汁煮麪糊圓如小豆大每服二十圓薑湯下

(十二)強中圓治胃脘虛寒痰飲留滯痞塞不通氣不升降

高良姜 乾姜炮 陳皮 青皮各一兩 半夏湯去滑二兩

右爲末用生姜自然汁煮麪糊圓如梧桐子每服三十圓生姜湯下(一法)前藥並不炮製

(十三)丁香茯苓湯治脾胃虛寒宿飲留滯以致嘔吐涎沫或有酸水不思飲食

木香 丁香各一兩 乾姜炮兩半 附子炮去皮臍

半夏洗七次 陳皮去白 肉桂去皮各一兩 縮砂半兩

右㕮咀每服四錢水二盞薑七片棗一枚煎七分不拘時服

(十四)八味圓治脾虛不得剋制腎水多吐痰唾而不咳者

附子炮去皮臍 桂心各二兩 山茱萸去核 山藥各四兩

澤瀉 茯苓 牡丹皮各三兩 熟地黃八兩

右爲末蜜圓如梧桐子每服五十圓空心鹽湯送下

〔十五〕〔半[illegible]圓〕治胸膈脹滿痰涎不利頭目昏眩

天南星　半夏各生用　生硫黃別研各一兩

玄精石　盆硝各半兩　附子一个六錢重者生用去皮臍

右為末入麪三兩令勻藥停水和作餅於沸湯內煮令浮漉出為圓如梧桐子每服三十圓生姜湯食後下

〔十六〕〔順元散〕治氣虛痰盛不得睡卧氣中痰厥尤宜服之

南星一兩炮　川烏　附子各半兩　木香二錢半

右㕮咀每服三錢水一盞姜十片煎熟服

〔十七〕〔溫中化痰圓〕〔方見咳嗽門〕治停痰留飲胸膈滿悶頭眩目暈咳嗽涎唾或飲酒過度嘔吐惡心

〔上盛下虛〕〔蘇子降氣湯〕治虛陽上攻氣不升降上盛下虛痰涎壅

川當歸去芦　甘草炙　前胡去芦　厚朴去皮姜製各二兩

肉桂去皮　陳皮去白各　紫蘇子　半夏麴各五兩

右㕮咀每服三錢水一盞薑三片棗一枚煎服不拘時（十八）

（十九）黑錫丹 治痰氣壅塞上盛下虛心火炎熾腎水枯竭應下虛之證及婦人血海久冷無子赤白帶下並宜服之

肉桂去皮半兩　沉香　附子炮去皮臍　胡芦巴酒浸炒

破故紙　茴香舶上者炒　肉豆蔻麪裹煨　陽起石研細水飛

金鈴子蒸去皮核　木香各一兩　硫黃　黑錫去滓秤各二兩

右用黑盞或新鐵銚內如常法結黑錫硫黃砂子地上出火毒研令極細餘藥並杵羅為末一處和勻自朝至暮以研至黑光色為度酒糊圓如梧桐子大陰乾入布袋內擦令光瑩每服四十粒空心鹽薑湯或棗湯下女人艾棗湯下

（二十）靈砂丹 治上盛下虛痰涎壅塞此藥最能鎮墜升降陰陽安和五臟扶助元氣

水銀一斤　硫黃四兩

右用新鐵銚炒成砂有烟即以醋洒候研細入水火鼎䤁調赤石脂封口鐵線扎縛曬乾塩泥固濟用炭二十斤煆如鼎裂筆蘸赤石脂頻抹火尽爲度經宿取出研爲末糯米糊爲圓如麻子大每服二十粒空心棗湯米飲人參湯任下

（二十二）俞山人降氣湯　治上盛下虛痰氣壅盛或喘或滿咽乾不利并治脚氣上攻煩渴引飲

前胡　五加皮姜炙黄者　厚朴去皮姜浸一宿炒各一兩　羌活半兩

當歸去蘆　半夏麯　紫蘇子各一兩　桔梗半兩　甘草

陳皮去白　肉桂各一兩　乾姜炮　附子炮去皮　人參去蘆各五錢

右㕮咀每服三錢水一盞半紫蘇三葉薑三片棗一枚煎服

（臂痛）指迷茯苓丸　治中脘留伏痰飲臂痛難舉手足不得者

半夏二兩　茯苓一兩　枳殼去穰麩炒半兩　風化朴硝二錢半

右爲末姜汁麪糊圓如梧桐子每服二十丸姜湯下（二十二）

酒毒 葛花解酲湯 治飲酒太過嘔吐痰逆心神煩亂胸膈痞塞手足戰揺飲食減少小便不利 二十三

縮砂仁半两 葛花半两 木香半分 白豆蔻仁半两 橘皮半分 白术二分 乾生姜二分 蓮花青皮去穣三分 白茯苓一分半 猪苓去皮一分半 澤瀉一分 神麴二分炒 人參去芦一分

右爲細末秤和匀每服三錢匕白湯調下得微汗酒病去矣

七情 四七湯 治七情氣鬱結聚痰涎狀如破絮或如梅核在咽喉之間咯不出嚥不下并治中脘痞滿痰涎壅盛上氣喘急

紫蘇葉二两 厚朴三两 茯苓四两 半夏五两

右㕮咀每服四分水一盞薑七片棗一箇煎八分不拘時服若因思慮過度心氣不足小便白濁用此藥下青州白圓子最効 又一方 用半夏五两人參官桂甘草各一兩生薑煎服亦名七氣湯大治七氣并心腹絞痛 二十四

通治 半夏湯 順陰陽消痞滿消酒化痰 二十五

半夏 姜製 橘紅 去白 桔梗 各一兩 炒去蘆 枳實 去穰炒半兩

右為㕮咀每服四錢水一盞半生姜五片煎至七分去滓半飢半飽熱服

二十六 辰砂化痰丸 治風化痰安神定志利咽膈清頭目

白礬 枯過別研 辰砂 別研各半兩 天南星 炮一兩 半夏 洗七次姜汁搜作麴三兩

右以白礬半夏同南星為末和合勻用生姜汁煮麵糊圓如梧桐子別用辰砂為衣每服二十圓食後姜湯下

二十七 桔梗湯 治胸脇脹滿短氣痰逆或吐涎沫

桔梗 炒 半夏 湯洗姜汁製 陳皮 去白各十兩 枳實 麩炒赤五兩

右㕮咀每服三錢水一盞姜五片煎七分溫服不拘時

二十八 大半夏湯 消飲化痰壯脾順氣

右用大半夏以湯洗一遍去臍焙乾再洗如此七遍用濃米

泔浸一日夜取出控乾每半夏一兩用白礬一兩半研細溫水化浸半夏上留水兩指許頻攪冬月於暖處頓放浸五日夜取出焙乾用鉛白霜一錢溫水化又浸一日夜通七日盡取出再用漿水於慢火內煮勿令滾候漿水極熱取出焙乾於銀石或磁器內收貯每服一兩粒食後細嚼溫生姜湯下

又一法依前製成半夏每一兩用龍腦半分研極細同飛過朱砂於半夏上再爲衣却鋪上灯草一重約厚一指單排半夏其上又排灯草蓋約厚一指以炒豆焙之候乾取出於器內收貯每服一兩粒細嚼食後溫水或冷水送下

（二十九）**茯苓半夏湯** 治停痰留飲胸膈滿悶嘔逆惡心吐痰水

茯苓去皮三兩 半夏湯泡七次五兩

右㕮咀每服四錢水一盞姜七片煎七分空心服（一方）去茯苓用陳皮半夏各七兩名橘皮半夏湯

三十　二陳湯　治痰飲爲患或嘔吐惡心或頭眩心悸或中脘不快或因食生冷飲酒過度脾胃不和並宜服之

半夏湯洗七次　橘紅各五两　白茯苓三两　甘草炙一两半

右㕮咀每服四錢水一盞姜七片烏梅一箇同煎至六分熱服不拘時　一方加丁香

三十一　破痰消飲丸　治一切停痰留飲

青皮　陳皮並洗　川姜炮　京三稜炮搥碎

草菓麵裹煨　蓬术炮搥碎　良姜濕紙煨各一兩　半夏湯洗七次三兩

右爲末水煮麪糊丸如梧桐子陰乾每服五十丸姜湯下

三十二　橘皮半夏湯　治痰壅涎嗽久不已者常服養液潤燥解肌熱止嗽

橘皮去白半两　半夏湯洗七次二錢半

右爲末分作二服每水一盞半入生姜十片同煎七分温服

三十三 吴仙丹 治痰飲上氣不思飲食小便不利頭目昏眩

吴茱萸湯泡 白茯苓各等分

右爲末煉蜜丸如梧桐子每服三十圓熟水温酒任下

三十四 二仙圓 治中脘氣滞胷膈煩滿痰涎不利頭目不清

南星生去皮 半夏湯泡七次二味各五兩爲末用生姜自然汁和不可太軟但手捏得聚爲度攤在篩中用楮葉蓋之令發黄色晒乾收之須是五六月内做曲如醬黄法

香附子畧炒於磚上磨去毛五兩

右用南星半夏麯二兩淨香附子一兩同爲細末水煮麪糊圓如梧桐子每服四十丸食後姜湯下

三十五 滌痰湯 治一切痰涎壅盛或胷膈留飲痞塞不通

半夏湯洗七次四兩 天南星炮去皮 枳實去穰麩炒

赤茯苓去皮 橘紅湯去白各一兩 甘草炙半兩

右㕮咀每服四分水一盞姜十片煎至八分食後溫服

三十六 二賢散 治痰實食後胸滿遠年痰飲

薄橘紅四兩 甘草一兩

為末沸湯調下其功甚效

三十七 快活丸 常服消食化痰養生之家不可缺

枳殼炒 肉桂各一兩 桔梗 半夏湯洗各二兩

為末姜汁糊丸梧子大每服二十丸食後姜湯下

三十八 白朮湯 治胃中虛損及痰吐者

半夏麴半兩 白朮一分 檳榔二分半 木香 炙甘草各一分 茯苓二分

右為末每服二錢生姜湯調下食前服

三十九 蠲飲枳實丸 逐飲消痰導滯清膈

枳實去穰炒 半夏湯洗三次 陳皮去白各二兩 黑牽牛半斤取頭末三兩

右為末水煮麪糊為丸梧子大每五十丸生姜湯下食後

（四十）**五苓散**（方見傷寒門）治臍下有悸停飲癲眩吐涎沫

（諸飲）**海藏五飲湯** 治一留飲心下二飲癖飲脇下三痰飲胃中四溢飲膈上五流飲腸間凡此五飲酒後傷寒飲冷過多故有此疾（四十一）

旋覆花　人參　陳皮　枳實　白术

茯苓　厚朴　半夏　澤瀉　猪苓

前胡　桂心　芍藥　甘草各等分

右剉每兩分四服水二錢生姜十片同煎至七分取滓溫服不拘時候忌食肉生冷滋味等物因酒有飲加葛根葛花縮砂仁

（四十二）**倍术圓** 治五飲酒癖一曰留飲停水在心二曰癖飲水癖在兩脇三曰痰飲水在胃中四曰溢飲水溢在膈五曰流飲水在腸間瀝瀝有声並皆治之

乾姜炮　肉桂去皮各半斤　白术一斤

右爲末煉蜜圓如梧桐子每服三十圓空心米飲送下

四十三 **破飲圓** 治五飲停畜胷膈呼吸之間痛引兩脇氣促

蓽撥　丁香　胡椒　縮砂仁　蝎梢

青皮　巴豆去皮　木香　烏梅肉各等分

右以青皮同巴豆漿水浸一宿次日漉出同炒青皮焦去巴豆將所浸水淹烏梅肉炊一熟飯久細研爲膏圓如菉豆大每服十五圓津液送下

懸飲

四四 **十棗湯** 治飲水流在脅下咳嗽引痛經年不愈者

芫花　甘遂　大戟

右等分爲末以棗十枚水一戔半煎至八分去棗調藥末壯人一爫羸人半錢平旦温服不下者次日更加半爫下後稀粥自養下後止藥

四十五 **五苓散** 加防己煎治證同上方見暑門

支飲 四六 防已桂枝湯 治膈間支飲喘滿心下痞硬面色黑脉沉緊得之十數日醫吐下之不愈者

防已三两 桂心二两 人參四两 石膏四两

剉散每服四錢水煎温服虛者即愈實者二日復發再服不愈宜去石膏加茯苓芒硝微利即愈

四十七 枳朮湯 治心下堅大如盤边如旋盤水飲所作名氣分

枳實去白麩炒一两半 白朮三两

右㕮咀每服四錢水一盞煎至七分温服其堅即當散也

四十八 枳朮湯 治癖氣分心下堅硬如杯水飲不下者

肉桂去皮不見火 桔梗去芦剉炒 甘草炙 檳榔各七錢半

附子炮去皮臍 細辛洗去土葉 白朮各一两 枳實麩炒五錢

右㕮咀每服四錢水一盞姜七片煎至七分不拘時服

溢飲 四九 大青龍湯 治溢飲肢躰重汗不出拘急痛方見傷寒門

五十　小青龍湯　治溢飲支飲倚息不得而喘滿者　方見傷寒門

痰飲

五十一　茯苓飲子　治痰飲蓄于心胃怔忡不已

赤茯苓去皮　半夏湯洗七次　茯神去木　陳皮去白
麥門冬去心各二兩　沉香不見火　甘草炙　檳榔各半兩

右㕮咀每服四錢水一盞姜五片煎七分温服不拘時

五十二　丁香五套丸　治胃氣虛弱三焦痞澁不能宣行水穀故爲痰飲結聚胷膈之間嘔吐惡心脹滿不食

木香　丁香各不見火　青皮　陳皮各去白半兩　乾姜炮　白朮
茯苓　良姜各一兩　南星　半夏各二兩同南星浸三日

右爲末用神麯一兩大麥蘖二兩同碾取末打糊和藥爲丸如梧桐子每服七十圓温熟水下常服温脾順氣

五十三　新法半夏湯　治脾胃虛弱痰飲停滯嘔逆酸水腹脇脹滿頭旋惡心不思飲食

縮砂仁　神麯炒　陳皮去白　草菓仁各一兩
白豆蔻仁　丁香各半兩　大半夏四兩去滑　甘草二兩重半生半炙
右爲末每服二钱先用生姜自然汁調成膏入炒盐湯點服

五十四　檳榔散　治胷膈停滯痰飲腹中虛鳴食不消化時或嘔
杏仁去皮尖　旋覆花去枝梗　半夏湯洗七次　檳榔　甘草炙
桔梗去芦炒　白术各一兩　人參各半兩　乾姜炮　橘紅
右㕮咀每服四钱水一盞姜五片煎至八分不拘時服

五十五　參蘇飲　方見傷寒門　治痰飲停積胷膈咳嗽氣促

喘急

人之五臟皆有上氣而肺爲之總故經云諸氣皆屬於肺居五臟之上而爲華盖喜清虛而不欲窒礙調攝失宜或爲風寒暑濕邪氣相干則肺氣脹滿發而爲喘呼吸坐卧促迫不安又有

因七情之氣干於五臟鬱而生痰或體弱之人脾腎俱虛不能攝養一身之痰皆能令人發喘治療之法當究其源如感邪氣則驅散之氣鬱則調順之脾腎虛者溫理之又當於各類而求凡此證脉滑而手足溫者生脉濇而四肢寒者死數者亦死謂其形損故也此嚴氏之説故再述于此

風　五十六　**三拗湯**　方見咳嗽門　治肺感風邪喘呼不已

寒　五十七　**加味三拗湯**　治肺感寒邪發喘

杏仁七分　陳皮一兩　甘草三分　麻黃一兩夏月及有汗者減半

五味子七分　桂五分

右㕮咀每服四錢姜三片煎喘甚者加馬兜苓桑白皮

五十八　**藿香正氣散**　治渾身拘急增寒喘嗽頭目昏重加五味子杏仁烏梅煎有泄不用杏仁　方見傷寒門

熱證　五十九　**金沸草散**　治肺熱喘嗽痰盛

六十 參蘇飲 治證同上用加杏仁五味子二方並見傷寒門

六十一 葶藶散 治過食煎煿或飲酒過度致肺壅喘不得臥及
肺癰咽燥不渴濁唾腥臭
甜葶藶炒 桔梗去芦 瓜蔞子 川升麻
薏苡仁 桑白皮炙 葛根各一两 甘草炙半两
右㕮咀每服四錢水一盞半生姜五片煎至八分去滓食後
溫服

虛證

六十二 蘇子降氣湯 方見痰氣門 治虛陽上攻喘促咳嗽

六十三 防己丸 治肺不足喘嗽久不已者調順氣血消化痰涎
防己 木香各二两 杏仁三两
右爲末煉蜜爲丸如小豆大每服二十丸煎桑白皮湯下如
大便秘加葶藶壹兩食後

六十四 人參潤肺湯 治肺氣不足喘急咳嗽不已并傷寒頭疼

増寒壯熱四肢疼痛

人參　桔梗　白芷　麻黄去節

乾葛　白术　甘草各一兩炙　白姜半兩

右爲末每服二錢水一大盞生姜三片葱白二寸煎至八分如出汗連進二服通口温服

氣喘

（六十五）**四磨湯**治七情欝結上氣喘急

人參　檳榔　沉香　天台烏藥

右四味各濃磨水取七分盞煎三五沸放温服

（六十六）**紫蘇子湯**治憂思過度邪傷脾肺心腹膨脹喘促煩悶腸鳴氣走漉漉有声大小便不利脉虚緊而濇

紫蘇子一兩　大腹皮　草菓仁　半夏湯洗七次

厚朴去皮姜製　木香不見火　陳皮　木通

白术　枳实去白炒　甘草炙　人參各半兩

右㕮咀每服四錢水一盞姜五片棗二枚煎七分不拘時服

（六十七）**杏參飲** 治因墜墮驚恐或渡水跌仆疲極筋力喘急

人參　桑白皮　橘紅　大腹皮

檳榔　白术　訶子肉煨　半夏湯洗七次

桂心不見火　杏仁去皮炒　紫菀洗　甘草炙各等分

右㕮咀每服四錢水一盞姜五片入紫蘇七葉煎七分温服

痰喘 **一黄丸** 治停痰在胃喘息不通呼吸欲絶（六十八）

雌黄一分　雄黄一兩

右二味研羅極細鎔黄蠟為丸如彈子大每服一丸於半夜時熱煮糯米粥乘熱以藥投在粥内攪轉和粥喫

通治 **神秘湯** 治上氣喘急不得卧者（六十九）

橘皮　桔梗　紫蘇　五味子　人參各等分

右㕮咀每服四錢水一盞煎六分食後服

（七十）人參定喘湯 治肺氣上喘，喉中有声，坐卧不安，胷膈緊滿，及治肺感寒邪，咳嗽声重。

人參去芦　麻黄去節　半夏麯　阿膠炒　甘草一两炙，各　桑白皮　五味子　粟殼蜜炙，各二两

右㕮咀，每服三錢，水一盞，姜三片，煎七分，食後温服。

（七十一）紫蘇子圓 治一切氣逆，胷膈脹滿，喘急咳嗽，心腹刺痛。

紫蘇子　陳皮各二两　肉桂去皮　良薑炒，各一两　人參去芦，五分

右爲末，煉蜜圓如彈子大，每服一圓，細嚼，温酒、米飲任下。

（七十二）分氣紫蘇飲 治脾胃不和，氣逆喘促。

五味子去梗　桑白皮　茯苓　甘草炙　草菓仁　大腹皮炙　陳皮去白　桔梗各一斤

右㕮咀，爲麁末，秤二十斤，淨入淨紫蘇十五斤，搗碎，同一處拌匀，每服四錢，水一盞，姜三片，入塩少許，同煎，空心服。

（七十三）**五味子湯** 治喘促脉伏而厥者

五味子半两 人參 麥門冬 杏仁

橘皮去白 生姜各二钱半 棗子三枚破

右㕮咀每服水二盞煎至一盞去滓分作二服

（七十四）**團參散** 治肺氣不利咳嗽上喘

紫團參 款冬花 紫菀茸各等分

右為末每服二錢水一盞烏梅一枚同煎七分空心温服

（肺疾）**杏仁半夏湯** 治肺痿涎喘不定咳嗽不已（七十五）

杏仁去皮 桔梗 陳皮去白 茯苓去皮 漢防已

甘草二寸 猪牙皂角一錢 桑白皮各二錢 薄荷葉一錢 白礬二錢

右為末作二服水二盞生薑三片煎至六分去滓食後温服

（七十六）**知母茯苓湯** 治肺痿喘嗽不已往來寒熱自汗

茯苓去皮 甘草各一兩 五味子 知母 人參

半夏洗七次　薄荷　柴胡　白朮　款冬花

桔梗　麦門冬　黄芩各半兩　川芎　阿膠炒各二分

為末每服三錢水一盞半生姜十片同煎至七分去滓熱服

（七十七）葶藶大棗瀉肺湯　治肺成癰胸膈脹滿上氣喘急身与面目浮腫鼻塞声重不聞香臭

葶藶炒令黄研細丸如弾子大

右用水三盞棗十枚煎一盞去棗入藥煎七分食後服法令先投小青龍湯三服乃進此藥

名方類證醫書大全卷之六

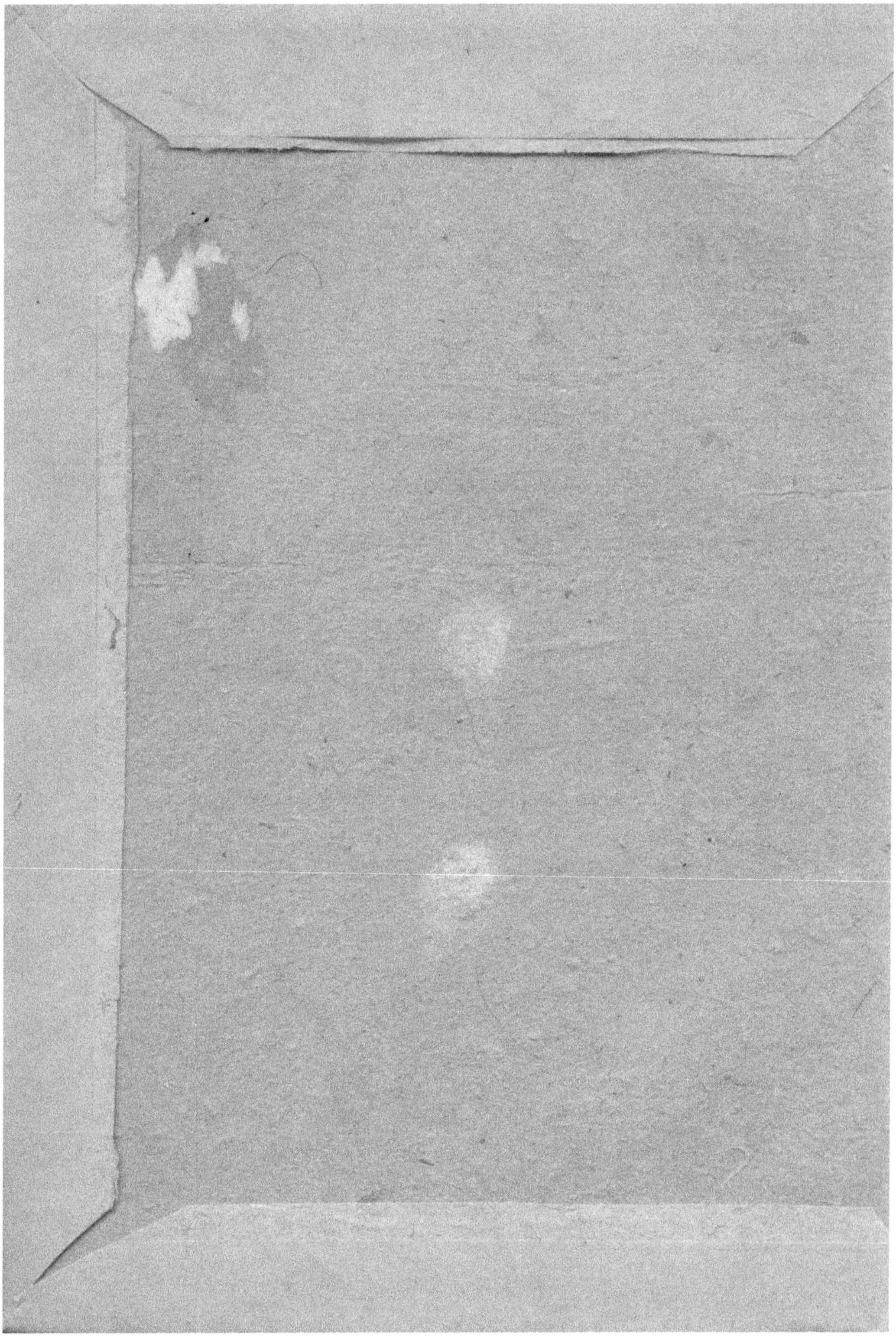

名方類證　四

名方類證醫書大全卷之七

鼇峯熊　宗立　道軒　編集

氣 附 諸疝膀胱小腸腎氣

人稟天地陰陽之氣以生藉血肉以成其氣一氣周流於其中以成其神形神俱備乃謂全体故婦人宜耗其氣以調其經男子息養其氣以全其神惟氣得暖則行貴乎宣流調抑非宜致生多證故内因七情而得之喜怒憂思悲恐驚者是也喜傷於心者其氣散怒傷於肝者其氣擊憂傷於肺者其氣聚思傷於脾者其氣結悲傷於心胞者其氣急恐傷於腎者其氣怯驚傷於膽者其氣乱雖七證自殊無踰於氣又有体虛者外為風冷乘之入於腹中遂成諸疝發則小腹疼痛痛或繞腸或逆搶心

甚則手足厥冷自汗嘔逆或大小便秘澁疝氣之證亦有七種厥疝癥疝寒疝氣疝盤疝附疝狼疝者是也厥疝則心痛足冷食已則吐癥疝則腹中氣積如臂寒疝則飲食因寒卒然脇腹引痛氣疝乍滿乍減而痛盤疝腹中痛引臍傍附疝則腹痛連臍下有積聚狼疝小腹与陰相引而痛治療之法若因七情所傷者當調其氣而安其五臟外邪所干者當温而散之倘治之非道内外之氣交入於腎者為腎氣入于膀胱者為膀胱氣入于小腸者為小腸氣因寒而得者遇寒而發喜怒而得者遇喜怒而發甚則結而為積聚或於左右脇下有物如覆杯或長如展臂或腹大如盤令人羸瘦少氣洒淅寒熱飲食不為肌膚積聚之脉厥而緊浮而牢牢強急者生虚弱者死臨證審而行之

中氣（一）**獨香散** 治中氣閉目不語四肢不收昏沉不省

南木香為末冬瓜子煎湯調下一錢痰盛**星香湯**良方見風門

〔二〕八味順氣散 治中氣最妙 方見風門

〔三〕蘇合香丸 專能順氣化痰并治傳屍骨蒸諸項勞瘵卒暴心痛鬼魅瘴瘧赤白下痢小兒驚搐等証並宜服之

沉香 麝香研 訶梨勒煨用皮 丁香 青木香
安息香研為末用无灰酒一升熬膏 香附子炒去毛 蓽撥 白朮
白檀香各二兩 薰陸香別研 蘇合香油入安息香膏內
龍腦研各一兩 朱砂研飛 烏犀角各二兩

右為末入研藥極勻用安息膏并煉蜜和劑圓如梧桐子空心用溫水化下四圓酒服亦可

〔四〕回陽湯 治体虛氣中脉息大弱飲食不進

乾姜炮 川烏生去皮臍 青皮去白一兩 益智仁二兩 附子生去皮臍各半兩

右㕮咀每服三錢姜七片棗一枚煎服或入少木香亦可

〔虛冷〕

〔五〕鹽煎散 治男子婦人一切冷氣攻沖胸脇刺痛不已

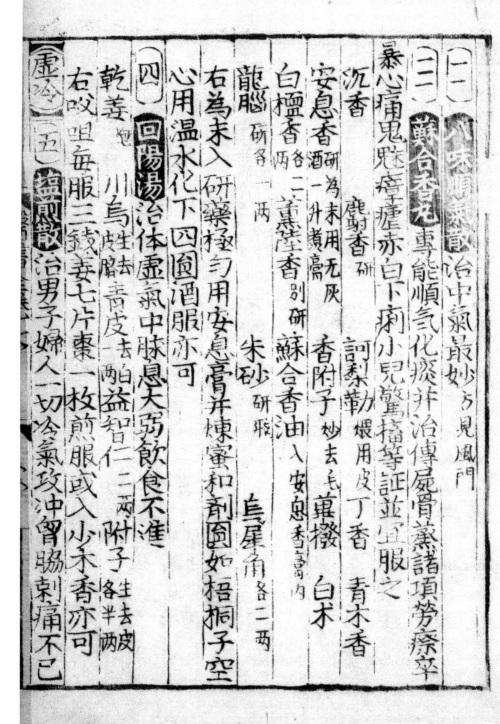

及脾胃虛冷嘔吐泄瀉膀胱小腸氣婦人血氣並皆治

縮砂仁去殼　甘草炙　茯苓去皮　草菓仁

肉豆蔻煨　川芎洗　茴香炒　蓽澄茄

大麥芽　檳榔炮　良姜麩炒　枳殻麩炒

厚朴去皮　陳皮去白　羌活去芦　蒼术米泔浸宿各二兩

右㕮咀每服三钱水一盞入鹽少許煎至七分空心服

〔六〕順氣沉附湯　升降諸氣暖則宣流

大附子一隻炮作二服

右水一盞煎別用水磨沉香臨熟時入藥内熱服

〔七〕養氣丹　治諸虛百損真陽不固上实下虛氣不升降或喘或促一切体弱氣虛之人婦人血海冷憊諸證並宜服之

禹餘粮火煅醋淬各七次　紫石英火煅七次　赤石脂如前法

磁石火煅醋淬七次各半斤　代赭石火煅醋淬七次一斤

以上五石各以水再研撥其清者置之紙上用竹篩盛之滴盡水候乾合用瓦瓶盛貯以鹽水紙筋和泥固濟陰乾以硬炭五十斤分作五処煆此五藥以紙灰蓋之火盡再煆如此三次埋地穴内兩日出火毒再研細入後藥

肉蓯蓉洗酒浸一宿焙乾一兩半 附子炮二兩 茴香炒 丁香

破故紙酒炒 木香不見火 肉桂去皮 巴戟去心塩湯浸 山藥

肉豆蔻麵裹煨 鍾乳粉別研 鹿茸酥炙 當歸酒浸一宿焙乾

白茯苓去皮 遠志去心 沒藥並去砂別研 陽起石煆別研

五靈脂別研 乳香別研 朱砂或煆或蒸炒別研各一兩 沉香五分

右入前藥同研極匀用糯米糊為丸每兩作五十丸陰乾入布袋内擦令光瑩每服二十丸空心温酒薑塩湯任下婦人用艾醋湯下

薑黄合丸 治男子婦人血氣虚弱久積陰冷停飲不化結

聚成塊心腹膨脹刺痛不已或臟腑傷冷以致泄瀉並皆治之

丁香不見火 木香不見火 人參各一兩 附子炮去皮臍 乾薑炮

青皮去白 陳皮去白 白术焙 厚朴去皮姜製 肉豆蔻煨

右爲末入硇砂一錢薑汁麪糊爲圓每一兩作二十圓每服一圓用老薑一塊如拇指頭大切開作合子安藥於内用濕紙裹慢火煨一頓飯久取出去紙和姜細嚼白湯送下孕婦不可服小兒一圓分四服凡内有積滯服之無不神驗

（九）**藏方** **阿魏理中圓** 治一切冷氣攻刺心痛脹滿嘔逆

阿魏二分半用麪二匙醋和作餅子炙黄 京三稜煨

蓬莪术煨 青皮去白 陳皮去白 甘草炙

乾姜炮 乾木爪 肉桂去皮 白术各一兩半

右爲末麪糊爲圓每一兩作十五圓朱砂爲衣每服一元細嚼生姜木爪塩湯任下如婦人血氣攻刺前乾姜當歸湯下

〔十〕**葱白散**治一切冷氣及膀胱氣發攻刺疼痛婦人胎前産後血氣刺痛最宜服之

川芎　當歸　枳殼去白麩炒　厚朴姜製

木香　官桂去皮　青皮　乾姜炮　茴香炒

人參　川楝炒　茯苓　麥蘖炒　三稜炮

蓬朮醋浸一宿焙　乾地黄　神麯炒　芍藥各等分

右㕮咀每服三錢水一盞葱白二寸煎七分入鹽少許空心熱服大便秘澁加大黄溏利加訶子

〔十一〕**崔氏方附子養氣湯**大治久病方愈上氣急滿痰唾稠粘服此壯脾養氣止嘔進食

附子三两炮裂水浸去皮臍切片　人參切片

白朮紙裹煨　白茯苓去皮各一两　木香半两紙裹炮裂

右每服四錢水一盞姜七片棗二枚煎七分空心服

實熱〔十二〕五香連翹散治壯實人胷膈痞塞氣不升降百治不効或腹內脹痛大便秘澁方見癰疽門

〔十三〕推氣圓治三焦痞塞氣不升降胸膈滿悶大便秘小便赤

檳榔　枳殼　陳皮　黃芩

大黃　黑牽牛各等分

右爲末姜汁糊丸梧子大每服三四十丸淡姜湯下

〔十四〕小承氣湯治壯盛之人三焦痞塞氣不升降心腹脹痛諸治不止身熱大便秘者方見傷寒門

上盛下虛〔十五〕蘇子降氣湯方見痰氣門治虛陽上攻氣不升降上盛下虛痰涎壅盛

〔十六〕秘傳降氣湯治上盛下虛氣不升降上盛則頭目昏眩痰實嘔逆胷膈不快咽乾喉燥下虛則腰脚无力小便頻數又或大便秘澁

骨碎補去毛炒　訶子炮去核　草菓仁去皮煨　五加皮酒浸半日炒黄
半夏麯　桔梗各半兩　桑白皮炒二兩　地骨皮炒黄
枳殼去穰炒　陳皮去白　柴胡去芦　甘草炒各一兩

右為麄散和匀再就蒸一伏時曬乾每服二錢紫蘇三葉姜三片水一盞同煎七分食後熱服又能調順榮衛通利三焦如痰嗽加半夏麯煎心肺虛滿加人参茯苓煎上膈熱加北黄芩煎下虛加熟附子煎婦人血虛加當歸煎

（十七）養正丹　治上盛下虛氣不升降元陽虧損氣短身羸及中風涎潮不省人事傷寒陰盛自汗唇青婦人血海久冷並治

水銀　黑錫去滓淨与水銀結砂子
硫黄研　朱砂研細各一兩

右用黑盞一隻火上溶黑鉛成汁次下水銀以柳條攪次下朱砂攪令不見星子放下少時方入硫黄末急攪成沙和匀

如有痰以醋洒之候冷取出研極細煮糯米糊圓如菉豆大每服三十粒鹽湯棗湯任下

（七情）**五膈寬中散**（方載翻胃門）治七情四氣傷於脾胃以致陰陽不和胷膈痞滿停痰氣逆（十八）

（十九）**七氣湯** 治七情之氣鬱結於中心腹絞痛不可忍者

人參去芦 甘草炙 肉桂去皮各一兩 半夏湯洗七次焙乾五兩

右㕮咀每服三錢水一盞姜三片煎七分空心熱服

（氣滯）**復元通氣散** 治氣不宣流或成瘡癤并閃挫腰脇氣滯不散並皆治之（二十）

舶上茴香炒 穿山甲蛤粉炒去粉各二兩 延胡索去皮

白牽牛炒 甘草炒 陳皮去白各一兩 南木香不見火一兩半

右為末每服一錢熱酒調病在上食後服病在下食前服不飲酒人煎南木香湯送下

〔二十一〕和氣散 治脾胃不和中脘氣滯心腹脹滿嘔吐酸水

青皮去白　茴香炒　蒼朮米泔浸　甘草炙各一兩

陳皮去白　肉桂去皮　良姜去芦　香附子　桔梗去芦三兩

右為末每服二錢入鹽少許沸湯點服鹽酒亦可

〔二十二〕木香調氣散 氣滯胸膈虛痞惡心宿冷不消心腹刺

白豆蔻　丁香　檀香　木香各二兩

藿香葉　甘草炙各八兩　縮砂仁四兩

右為末每服二錢入鹽少許沸湯點服 一方 又名勻氣散

〔二十三〕沉香降氣湯 治陰陽壅滯氣不升降胸膈痞塞喘促短

氣又治脾胃留飲噫醋聞酸脇下支結常覺妨悶

沉香十八兩半　縮砂仁四十八兩　甘草炙一百二十兩　香附子去毛四百兩

右為末每服二錢入鹽少許沸湯點服

〔二十四〕三和散 方見秘結門 治五臟不調風氣壅滯面目虛浮

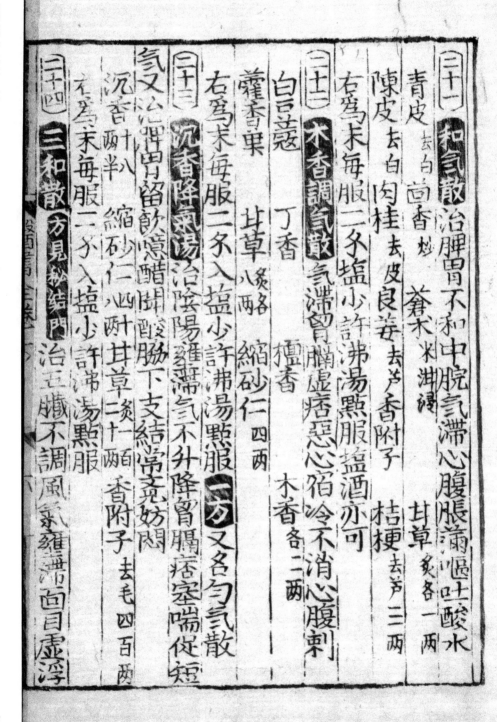

（二十五）藏方 **導氣丸** 宣壅導氣除脹滿利大腸

大黃四兩温紙裹煨　胡椒四十九粒　青皮去白

陳皮去白　蝎梢去毒　茴香炒　乾姜炮　甘草炙各一兩

阿魏半分用稀麪少許和作餅子油煎黃色　黑牽牛取頭末二兩

右為末蒸木瓜搜勻為丸如菉豆大每服二十丸温塩湯下

不拘時量虛實加減服

（二十六）藏方 **消脹丸** 快氣寬中除腹脹消宿食

木香　黑牽牛炒　蘿蔔子炒　檳榔各等分

右為末滴水圓如梧桐子每服三十丸煎生姜蘿蔔湯食後下

（二十七）**五香散** 升降諸氣宣利三焦疏導壅滯發散邪熱

木香　丁香　沉香　乳香　藿香各等分

右㕮咀每服三錢水一盞半煎八分去滓食後温服

（二十八）**木香流氣飲** 治諸氣痞塞不通胸膈膨脹面目虛浮四

肢體疼痛口苦咽乾大小便秘

半夏（湯洗七次焙二兩）　厚朴（去皮薑炒）　青皮（去白）　紫蘇（去梗）

香附子（去毛）　甘草（炙各一斤）　陳皮（去白二斤）　肉桂（去皮不見火）

蓬莪朮（煨）　丁香皮（不見火）　大腹皮　檳榔　麥門冬（去心）

木香（不見火）　草菓仁（各六兩）　木通（去節八兩）　藿香葉　白芷（各四兩）

赤茯苓（去皮）　白朮　乾木瓜　人參（去芦）　石菖蒲（各二兩）

右㕮咀每服四錢水一盞半薑三片棗二枚煎七分熱服

（三十九）三和圓　治三焦不和氣不升降胸膈痞悶或傷生冷

枳实（麩炒）　檳榔　半夏（湯洗各二兩）　赤茯苓（去皮）　木香

青皮（去白）　陳皮（去白）　丁香皮　沉香　蘿蔔子（炒）

白朮（各半兩）　京三稜（四兩）　蓬莪朮（三兩）　白豆蔻仁

肉桂（去皮）　藿香（各一兩）　黒牽牛（一斤微炒取細頭末半斤）

右為末酒煮麵糊圓如梧桐子每服五十丸食後生薑湯下

〔三十〕沉香升氣丸　治一切氣不升降脇肋刺痛胷膈痞塞

大腹皮炒半兩　麥糵炒　紫蘇葉　香附子各一兩　人參半錢

神麯炒一兩　姜黃炒四兩　烏藥一兩　陳皮去白　甘草各四錢

益智炒去殼　厚朴去皮姜製　京三稜煨　蓬莪朮煨各二錢

檳榔各半兩　訶子煨去核半錢　白朮一兩　沉香二錢半

右為末每服二錢空心沸湯點服

〔三十一〕沉香降氣湯　治三焦痞滯氣不宣暢心腹痛滿嘔吐痰沫五噎五膈並皆治之

沉香　木香　丁香　藿香葉　白豆蔻各半兩

人參去芦　甘草炙　白朮各一兩　肉豆蔻　青皮去白

桂花　檳榔　陳皮去白　縮砂仁

川姜炮　枳實炒　白檀各二兩　白茯苓去皮半兩

右㕮咀每服三錢水一盞入鹽少許同煎七分不拘時溫服

〔三十二〕**賺氣散** 治心胷痞悶腹脇虛脹飲食減少氣不宣通及傷寒兩脇疼痛攻心

荆三稜　蓬莪朮炮各五兩　白朮三兩

木香半兩　枳殼炒一兩

右剉每服三錢水一盞姜三片煎六分食前溫服用砂糖少許壓下

〔三十三〕**順氣寬中丸** 治陰陽不和三焦痞膈氣逆澁滯中滿不快悲氣奔急肢体煩倦不欲飲食

枳實麸炒　京三稜煨　蓬莪朮煨　大麥糵炒

人參去芦　桑白皮去皮　檳榔各一兩　甘草炙七錢

右為末每服二錢入鹽少許沸湯點服不拘時

〔三十四〕**分氣丸** 治胷膈氣痞痰實不化並宜服之

縮砂仁　青皮去白　陳皮去白　白豆蔻仁一

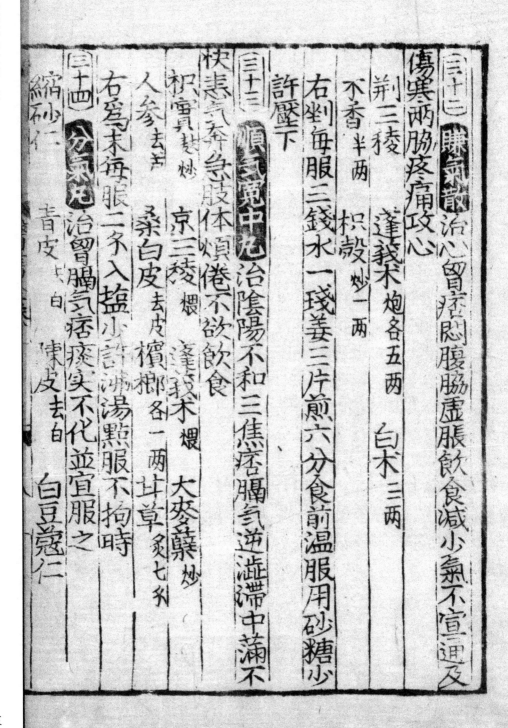

京三稜炮　蓬莪朮炮　葷澄茄　蘿蔔子炒別研
枳實麩炒　木香各一兩　黑牽牛炒二兩取頭末
右為末麪糊丸如梧桐子每服五十丸生姜湯下

〔三十五〕**紫沉通氣湯**治三焦氣澁不能宣通腹脇脹大便秘
紫蘇葉　枳殼麩炒　陳皮去白　赤茯苓
甘草炒　檳榔各一兩　沉香　木香
麥門冬去心　五味子　桑白皮　黄芪
乾生姜　薄荷葉　荊芥穗　枳實麩炒各半兩
右㕮咀每服半兩水一盞半煎八分空心温服

〔三十六〕**藏方三香正氣散**治陰多陽少手足厥冷氣刺蘿滯留膈噎塞心下堅痞嘔噦酸水
木香　丁香各半兩　陳皮去白　益智仁
縮砂仁　厚朴去皮姜製　甘草各兩半　香附子炒去毛二兩

乾姜炮　丁香皮　蓬莪术炮　烏藥各一兩

右為末每服三分水一盞姜三片棗一枚煎服不拘時

（三十七）**異氏消氣散**治血氣凝滯心脾不和腹急中滿四肢浮腫飲食无味小便不清

沉香　木香　人參　半夏湯洗七次

青皮去白炒　桔梗炒各半兩　陳皮去白炒一兩　白茯苓去皮

草菓仁炒　大腹皮洗焙　紫蘇連梗　木通各三兩

右㕮咀每服三分水一盞姜四片棗一枚煎空心熱服

（三十八）**藏方通氣丸**治氣滯胷脇噎塞滿悶并治小腸氣痛

丁香皮　黑牽牛各五兩　京三稜炮　蓬莪术炮

青皮　陳皮　益智仁　白术各一兩

茴香炒　蘿蔔子炒　縮砂仁　枳殼去白麸炒各二兩

右為末麪糊丸如梧桐子每服三十丸蘿蔔湯食後下

（三十九）道氣枳殼丸 治氣結不散心胸痞痛逆氣上攻分氣逐風

枳殼 去穰麩炒 木通 剉炒 青皮 去白 陳皮 去白

桑白皮 剉炒 蘿蔔子 微炒 白牽牛 炒 黑牽牛 炒

莪朮 炮 茴香 炒 荊三稜 煨各等分

右為末生姜汁打麪糊為丸如桐子大每服二十丸煎橘皮湯下不計時候

（氣積）助氣丸 治三焦痞塞胸膈滿悶氣不流通蘊結成積痃癖氣塊及五膈之氣並皆治之 （四十）

京三稜 炮 蓬莪朮 炮各二斤 青皮 去白 陳皮 去白

白朮 各十五兩 檳榔 枳殼 去穰麩炒 木香 各十兩

右為末水煮麪糊丸如梧桐子每服五十丸熟水下

（四十一）木香順氣丸 治停飲積滯調諸氣不和

京三稜 炮 石三稜 雞爪三稜 檳榔 蘿蔔子

陳皮去白　半夏生姜製　白茯苓去皮　人參去芦　白豆蔻仁　木香各一两　黑牽牛微炒頭末五两　縮砂仁半两

右爲末姜汁麪糊丸如梧桐子每服五十丸食後姜湯下

（四十二）丁香脾積丸　治諸般食積氣滯胃膈脹滿心腹刺痛

丁香　木香不見火　巴豆去殼　高良姜米醋煮各半两　蓬莪朮三两　京三稜二两　青皮洗一两　皂莢三大挺燒存性

右入百草霜三匙同碾爲末麪糊丸如麻仁大每服十丸至二十丸止脾積氣陳皮湯下口吐酸水淡姜湯下嘔吐藿香甘草湯下小腸氣炒茴香酒下婦人血氣刺痛淡醋湯下嘔吐菖蒲湯下小兒疳氣史君子湯下此藥以五更初服利三五行後用白粥補之

（四十三）神保丸　治諸積氣爲痛宣通臟腑

乾蝎七个全者　木香　胡椒各二分半　巴豆十个去心皮別研取霜

右爲末入巴豆霜令匀湯化蒸餅圓如麻子大朱砂爲衣每服五七粒心膈痛柿蒂灯心湯下腹痛柿蒂煨姜湯下血痛炒姜醋湯下肺氣甚者以白礬蛤粉各二錢黄丹一錢同研煎桑白皮糯米飲調下氣小喘止用桑白皮糯米飲下脇下痛炒茴香酒下大便不通蜜湯調檳榔末一錢下氣噎木香湯下宿食不消茶酒漿任下

四十四　**五香蠲痛丸**　治冷物所傷脾胃遂成癖氣留膈痞塞心腹疼痛

丁香　藿香　青皮去白　枳殼去白麩炒　木香
沉香　桂心各一兩　硇砂四錢　乳香　京三稜
陳皮一兩去白同巴豆五錢去皮炒令黄色去豆
蓬莪朮　吴茱萸各一兩　一方牽牛末三兩

右爲末麪糊丸如菉豆大每服三十丸熟水下

四十五 **磨積圓** 治腸胃因虛氣癖於盲膜之外流于季脇氣逆
息難久則榮衛停滯潰爲癰膿多至不救
胡椒 一百五十粒 全蝎 去毒十个 木香 不見火二分半
右爲末粟米飲爲圓如菉豆大每服二十圓橘皮湯下

氣痛

四六 **手拈散** 治心脾氣痛
草菓 玄胡索 五靈脂 沒藥 各等分
右爲末每服三分温酒調下

四十七 **導滯圓** 治心腹痞滿停氣刺痛嘔吐痰水不思飲食
黑牽牛 微炒取頭末四兩 檳榔 胡椒 各半兩
木香 二分半 京三稜 兩半 丁香皮 一兩 青皮 去白二兩
右同牽牛末麪糊圓如小豆大每服五十圓空心姜湯下

四十八 **化氣湯** 治一切氣逆胷膈噎塞心脾卒痛嘔吐酸水丈
夫小腸氣婦人脾血氣並皆治之

沉香　胡椒各一两　縮砂去殼　桂心去皮
木香各二两　乾姜炮　蓬莪术煨　青皮去白炒
茴香炒　甘草炙　陳皮去白炒　丁皮各四两
右爲末每服二錢姜蘇湯調下婦人淡醋湯下
（四十九）蟠葱散　治男子婦人脾胃虚冷氣滯不行攻刺心腹痛
連胸脇膀胱小腸腎氣及婦人血氣刺痛並皆治之
延胡索　肉桂去皮　乾姜炮各二两　蒼术米泔浸一宿切焙
甘草炙各半斤　縮砂去皮　丁皮　檳榔各四两
蓬术煨　三稜煨　茯苓去皮　青皮去白各六两
右爲末每服二錢水一盞連根葱白一莖煎七分空心熱服
（五十）雞舌香散　治男子女人臟腑虚弱陰陽不和中脘氣滯
停積痰飲胸膈脹滿心脾引痛
良姜去芦炒　赤芍藥　肉桂去皮　香附子炒去毛

天台烏藥去木各四兩　甘草半兩

右為末每服二錢入鹽少許沸湯點服

(五十一)順氣木香散　治氣不升降胷膈痞悶時或引痛及酒食過傷噫氣吞酸心脾刺痛女人一切血氣刺痛並皆治之

蒼朮米泔浸　桔梗去芦　茴香炒各三兩　乾姜炮

陳皮去白　厚朴去皮姜炙　縮砂仁　丁皮不見火

良姜去芦　肉桂去皮　甘草炙　木香各一兩

右為末每服三錢水一盞姜三片棗二枚煎八分熱服不拘時或入鹽少許沸湯點下亦可

(五十二)神砂一粒丹　治一切厥心痛小腸膀胱痛不可止者

附子壹兩炮　鬱金　橘紅並等附子停用

右為末醋麪糊為丸如酸棗大以硃砂為衣每服一丸男子酒下婦人醋湯下服罷又服散子

〔通治〕〔五十三〕**木香分气圓** 治一切气逆心胷痛悶腹脇虛脹

木香 甘松洗去泥各一两 甘草炙六两 香附子十六两 蓬莪朮煨八两

右爲末米糊爲圓如梧桐子每服三十圓姜湯橘皮湯任下

〔五十四〕**木香分气丸** 治證与前木香分气丸同

木香 香附子 蓬莪朮 丁香皮 甘松炮

甘草各四两 藿香葉 川姜黄 縮砂仁 檀香各一两

右晒乾不見火擣羅爲末稀糊圓如梧桐子每服三十丸生姜橘皮湯下不拘時常服寬中進食

〔五十五〕**異香散** 治腎气不和腹脇膨脹飲食難化噫气吞酸一切冷气結聚腹中刺痛此藥最能治之

石蓮肉去皮一两 蓬莪朮煨 益智仁炒去殼 京三稜炮

甘草炙各六两 青皮去白 陳皮去白各二两 厚朴去皮姜炙二两

右爲末每服三錢水一盞姜三片棗一枚塩一捻同煎熱服

〔五十六〕**撞氣阿魏丸** 治五種噎疾諸般心痛痃癖氣塊冷氣攻刺腹痛腸鳴嘔吐酸水丈夫小腸氣婦人血氣並皆治之

川芎兩　生姜四兩切片鹽半兩淹一宿炒令黑色　蓬莪朮炮　茴香炒各一兩

肉桂去皮　縮砂仁　丁香皮炒　白芷各半兩　甘草炒一兩

阿魏醋浸一宿同麪為糊一分半　青皮去白一兩　胡椒半兩　陳皮去白一兩

右為末用阿魏和麪糊丸如雞頭大每藥丸一斤用朱砂七錢為衣每服三五粒丈夫氣痛炒姜鹽湯下婦人血氣醋湯下

〔五十七〕**青木香丸** 治胸膈噎塞氣滯不行腸中水聲嘔噦痰逆不思飲食常服寬中利膈

黑牽牛二百四十兩炒香搗末一百二十兩　補骨脂炒香　蓽澄茄

檳榔用酸粟米飯裹濕紙包火中煨令紙焦去飯各四十兩　木香二十兩

右為末入牽牛末令勻以清水拌和為丸如菉豆大每服三十丸茶湯熟水任下

（五十八）華氏方養氣丸治一切氣疾調脾胃進飲食止脾泄

木香　川乾姜炮　甘草炒　訶子炮去皮核

丁香各半两　大麥蘖炒淨　白豆蔻去皮　厚朴去皮姜製

神麯炒　茴香炒　陳皮去白各一分

右為末用白麪作糊丸如菉豆大每服五十丸空心參湯下

（五十九）木香檳榔丸疎導三焦寬利胸膈破痰逐飲快氣

木香　枳殼麸炒　青皮去白　杏仁去皮尖麸炒

檳榔各一两　郁李仁去皮　皂角去白酥炙　半夏麯各二两

右為末別以皂角四两用漿水一椀搓揉熬膏更入熟蜜少許和丸如梧桐子每服五十圓食後温生姜湯下

（六十）分心氣飲治一切氣留滯於胸膈之間不能流暢以致痞悶噎塞不通大便虛秘

木香不見火　丁香皮　人參去芦　麥門冬去心

大腹皮炙　大腹子炮　桑白皮炒　草菓仁
桔梗去芦　厚朴去皮姜汁製　白朮各半两　香附子炒去毛
藿香去土　陳皮去白　紫蘇去根各两半　甘草炙一两
右㕮咀每服三錢水一盞姜三片棗一个去核灯心十茎煎服

（六十二）經驗調氣方　調順榮衛通流血脉快利三焦安和五藏
治諸氣痞滯不通胸膈膨脹口苦咽乾嘔吐少食肩背腹脇走
疰刺痛及喘急痰嗽面目虛浮四肢腫滿大便秘結水道赤澁
又治憂思太過怔忪鬱積脚氣風濕聚結腫痛喘滿脹急

人參　赤茯苓去皮　淡木瓜　麥門冬
白朮　白芷　半夏湯洗各二两　陳皮
厚朴姜製炒　青皮去白　甘草　香附子炒去毛
紫蘇去枝梗各乙斤　沉香六两　枳殼四两炒　大黄麵裹煨切二两
草菓仁　肉桂去皮不見火　蓬朮煨切　大腹皮

丁香皮　檳榔　木香各不見火　木通去節八兩

右粗末每服水一盞半姜三片棗二枚煎至七分去滓热服

如傷寒頭痛發熱覓得疾入連根葱白三寸同煎外降陰陽汗

出立愈臟腑自利入粳米煎婦人血氣癥瘕入艾醋煎不拘

時候

疝氣

（六十二）治疝氣發作痛不可忍者真料五苓散一貼連根

葱白一寸灯心七莖煎湯吞下青木香丸五十粒即效

（六十三）失笑散治小腸氣痛婦人血痛欲死者

五靈脂　蒲黄炒各等分

右為末每服二錢先用醋一合熬藥成膏水一盞煎服

（六十四）去鈴丸治奔豚疝氣或陰囊腫大

川烏尖七箇生用　巴豆七枚去皮只去九分油

右為末糕糊丸如梧桐子用朱砂麝香為衣每服一丸同青

木香丸三十粒空心冷塩酒冷塩水下三兩日一服不可多

（六十五）**直指方四神丸** 治腎冷疝氣脹痛不已

呉茱萸 揀淨一兩一半用老酒浸一宿一半用米醋浸一宿焙乾

大香附子 杵淨一兩　蓽澄茄　青木香 各半兩

右為末米糊丸如梧桐子每服七十丸空心塩湯吞下或乳香葱白煎湯下亦可

（六十六）**茴香練實丸** 治疝氣無問冷熱

川練子 炒　茴香　山茱萸　食茱萸

呉茱萸 湯洗　青橘皮 去白　陳橘皮　馬藺花 醋炒

芫花 各乙兩

右為細末醋糊為丸桐子大每服三十丸温酒送下食前服量人虛實加減丸数以利為度

（六十七）**秘方** 治疝氣痛

杏仁一两　舶上茴香乙两　葱白焙乾半两

同為末酒調嚼胡桃嚥下

（六十八）立效散　治疝気

川芎　川練子　青皮去白　茴香舶上者

黑牽牛炒　桃仁各一两

右為末每服二分無灰酒一盞煎八分温服

（六十九）治小腸気痛不可忍者

烏藥擣研旧酒浸一宿　高良姜　茴香舶上者各一两　青皮去白一两

右為末每服二分遇發時热酒調下

（七十）金鈴丸　治膀胱腫痛及治小腸気陰囊腫毛間水出

茴香炒　馬藺花炒　海蛤　破故紙各三两　金鈴子肉五两

兎絲子　海帶各三两　木香　丁香各一两

右為末麪糊丸如梧桐子每服三十丸温酒塩湯任下

〔七十一〕**聚香飲子**治七情所傷遂成七疝心脇引痛不可俛仰

檀香　木香　乳香　沉香

丁香並不見火　藿香各一兩　玄胡索炒去皮　片子姜黃洗

川烏炮去皮　桔梗去芦炒　桂心不見火　甘草炙各半兩

右㕮咀每服四分水一盞半姜七片棗一枚煎七分溫服

〔七十二〕**三茱丸**治小腸氣痛外腎腫墜

山茱萸　吳茱萸　石茱萸各一兩　破故紙炒一兩七分

川練子一兩用班貓十四箇去翅觜同炒赤色去班貓不用

黑牽牛一兩炒　青皮　茴香　青鹽各三兩

右為末醋煮麪糊丸如梧桐子每服五十丸用桃仁十五箇炒酒送下或茴香酒亦可

〔診疝〕〔七十三〕**丁香練實丸**治男子七疝痛不可忍婦人瘕聚帶下皆任脈所主陰經也乃腎肝受病治法同歸於一

當歸去芦剉碎　附子炮製去皮　川練子　茴香炒

右四味各一两剉碎以好酒二升同煮酒乾為度焙作細末每秤藥末一两再入下項藥

丁香　木香各二分　全蝎十三个　玄胡乙两

右四味同為細末入前項藥末內拌和酒糊為丸如桐子大每服三十丸至百丸温酒送下空心

（七十四）茱萸內消丸　治腎經虛弱膀胱為邪氣所搏結成寒疝陰囊偏墜疼痛引臍腹或生瘡瘍時出黄水

山茱萸去核炒　桔梗水浸一時炒干　川烏炮去皮尖　茴香舶上者去沙焙炒用　陳皮

白蒺藜炒去刺　青皮去白　食茱萸　吴茱萸湯洗七次焙干

肉桂去皮各二两　大腹皮酒洗焙　五味子　海藻洗焙　枳实去穰麸炒

玄胡索各二两半　木香一两半　川練子炒　桃仁去皮尖麸炒別研各二两

右為末酒糊丸如梧桐子每服三十丸温酒空心下

（七十五）益智仁湯　治疝氣痛連小腹叫呼不已診其脉沉緊是
腎經有積冷所致
益智仁　乾姜炮　甘草炙　茴香炒各二分
烏頭炮去皮　生姜各半两　青皮去白二分
右㕮咀每服四分水一盞塩少許煎七分去滓执服

（七十六）玄附湯　治七疝心腹冷痛腸鳴氣走身寒自汗大腑滑泄
木香不見火半两　玄胡炒去皮　附子炮去皮臍各一两
右㕮咀每服四分水一盞姜七片煎七分温服不拘時

（七十七）狼毒圓　治七疝久而不愈發作無時臍腹堅硬刺痛
芫花醋炒　乾漆炒烟尽　川烏炮去皮臍各一两　全蝎去毒九枚　三稜
乾姜炮　没藥各半两　鱉甲醋煑　狼毒炒　椒紅炒各半两
右為末醋糊圓如梧桐子每服四十圓空心姜湯温酒任下
甚者用塩半斤炒極熱以故帛裹熨痛処

七十八 **補腎湯** 治寒疝入腹小腸氣痛時復泄瀉胃膈痞塞

人參 茯苓 黃芪 附子炮去皮臍

白朮各一兩 沉香四分 木瓜兩半 羌活半兩

甘草炙 芎藭各二分半 紫蘇七分半

右㕮咀每服三分水一盞薑三片棗一枚煎七分食前熱服

嘔吐加半夏半兩薑七片煎

七十九 **十補圓** 小腸寒疝膀胱伏梁奔豚痃氣並皆治之

附子一兩用防風一兩剉如黑豆大鹽四兩黑豆一合炒附子裂去諸藥只用附子去皮尖

葫蘆巴 木香 巴戟去心 川楝子炮取肉 官桂

延胡索 蓽澄茄去蒂 舶上茴香炒 破故紙炒各一兩

右為末用糯粉酒打糊丸如梧桐子辰砂為衣每服五十丸

空心酒下婦人醋湯下若入益智子亦可

八十 **川楝散** 治膀胱小腸氣臍下撮痛上衝心腹下引足膝

夜多旋溺外腎瘙痒

破故紙炒　川練子蒸去皮核　茴香炒各四兩

葫蘆巴酒浸炒三兩　乾姜炮一兩　附子炮去皮臍一兩半

右為末每服二錢空心熱酒調下

（八十一）**茱萸內消圓** 治腎與膀胱經虛為邪氣所搏結成寒疝陰囊偏墜痛連臍腹小腸氣刺奔豚痃癖並皆治之

山茱萸去核　陳皮去白　吳茱萸湯洗七次焙干　馬藺花醋炙　木香

肉桂去皮不見火　山藥焙　川練子蒸去皮核用　青皮去白用　茴香

右為末酒糊圓如梧桐子每服五十圓空心溫酒鹽湯任下

（八十二）**葫芦巴圓** 治大人小兒小腸氣蟠腸氣奔豚氣疝氣偏墜陰腫小腹有形如卵上下走痛不可忍者

葫芦巴一斤炒　茴香去土炒十二兩　吳茱萸湯洗七次炒十兩

川練子一斤炒　大巴戟去心炒用　川烏炮去皮尖各六兩

右爲末酒煑麪糊圓如梧桐子大每服十五丸空心溫酒下
小兒五丸茴香湯吞下【一方】加黑牽牛
【八十三】【大烏頭桂枝湯】治風寒疝氣腹中刺痛手足不仁身体
拘急不得轉側或致陰縮悉皆治之
大烏頭五个实者去皮尖蜜一大盞煎減半出湯洗切 芍藥各三錢 桂心 甘草炙二錢半
右㕮咀每服四錢水一盞半姜五片棗三枚入前煎烏頭蜜半
呷同煎七分食前服【一法】去烏頭用附子一个名蜜附湯
【熱疝】【八十四】【加味通心散】治腎與膀胱實熱小腸氣痛小府不通
瞿麥 木通 梔子 黃芩
連翹 甘草 枳殼 川練子各等分
右剉每服五錢水一錢半灯心二十條車前子五莖煎溫服
【八十五】【八正散】治腎氣實熱脉洪數小腹外腎肛門俱熱大小
便不利作痛每服四錢灯心二十條枳殼半片煎食前服熱甚

者加淡竹葉十皮 方見諸淋門

八十六 三白散 治膀胱蘊熱風湿相乘陰嚢腫脹大小便不利

白牽牛二两 桑白皮炒 白术 木通去節用 陳皮去白各半两

右為末每服二钱姜湯調下

八十七 葵子湯 治膀胱實熱腹脹小便不通口舌乾燥咽不利

赤茯苓去皮 木猪苓去皮 葵子 枳实麸炒 滑石

瞿麥 木通去節 黄芩 車前子炒 甘草炙各等分

右㕮咀每服四钱水一盞半姜五片煎八分温服不拘時

偏墜

八十八 奪命丹 治遠年日近小腸疝氣臍下撮痛外腎偏墜腫硬陰間濕痒抓成瘡癬

吴茱萸去梗一斤四两用酒浸四两醋浸四两湯浸四两童子小便浸各浸一宿用火焙干用 澤瀉去灰土二两

右為末酒煮麪糊圓如梧桐子每服五十丸温酒塩湯任下

或茴香湯下空心

（八十九）金鈴子丸 治釣腎氣膀胱偏墜痛不可忍

川練子 五两剉作五分製 一分用班猫一个去頭翅同炒去班猫 一分用茴香三錢塩半錢炒熟去塩留茴香入藥 一分用黑牽牛三錢同炒去牽牛 一分用破故紙三錢同炒留故紙入藥 一分用蘿蔔子一錢同炒去蘿蔔子

右将練子去核同破故紙茴香焙乾為末酒糊丸如梧桐子每服三十丸温酒空心下

（九十）敷法 治腎囊偏墜

牡礪 煅　良姜 各一两

右為末津唾調傳大偏处須臾如火熱著痛即安

（九十一）灸法 諸气心腹痛小腸气外腎吊痛疝气小腹急痛不可忍足大拇指次指下中節横紋當中灸五壯男左女右極妙

又治疝氣偏墜

【又法】量病人口角兩角為一摺斷如此則三摺成三角如△樣以一角臍心兩角在臍之下兩旁尽処是穴左偏灸右右偏灸左二七壯若灸兩邊亦無害

名方類證醫書大全卷之七

名方類證醫書大全卷之八

脾胃

人身之脾胃專藉之以容納五穀而尅化之脾屬土而居五臟之中寄旺於四時之内以土能容載萬物故好靜其脉常喜沉細而緩帶浮緊洪数者即有病之脉也尋常理脾助胃之道當用以平和之藥又須時其飢飽不以生冷之物傷之不爲寒暑所侵不爲七情所傷如是則氣體自然充實百病不生將理失宜或爲六淫七情相干爲嘔爲泄爲喘爲滿變生諸證又當於各類求之略述此以爲養生者之助

〔虚弱〕（一）**參苓白术散** 治脾胃虚弱飲食不進或致嘔吐泄瀉及大病後調助脾胃此藥最好

白朮各二斤 蓮子肉去皮 人參 白扁豆一斤半去皮姜汁浸炒 甘草
桔梗炒令黄色 山藥 縮砂仁 白茯苓 薏苡仁各一斤

右爲末每服二錢棗湯調下

嘉禾散 治脾胃不和胷膈痞悶氣逆生痰不進飲食如五噎五膈並皆治之

枇杷葉去毛姜汁炙 白茯苓去皮 縮砂去皮 薏苡仁炒 丁香
白豆蔻炒去皮 人參去蘆各一兩 白朮炒二兩 桑白皮炒 沉香
五味子炒各半兩 檳榔炒 青皮去白 谷蘗炒 藿香
杜仲去皮姜汁酒塗炙 隨風子 石斛酒和炒 大腹子炒 陳皮
半夏姜一分同擣作餅炙黄色 神麯炒各二錢半 木香七錢半 甘草炙兩半

右㕮咀每服三錢水一盞姜三片棗二枚煎七分温服五噎入乾柿一枚膈氣吐逆入薤白三寸棗五枚同煎

人參丁香散 治脾胃虚弱停痰留飲不能運化腹脇脹

滿短氣噎悶或吐痰水噫醋吞酸不思飲食漸至羸瘦

白芍藥半斤　當歸去芦　丁香　丁皮　山藥各四两

肉桂去皮　蓬莪朮　人參去芦　乾薑炮

茯苓去皮　香附子炒　白朮　甘草炙各四两

右㕮咀每服五錢水一盞薑三片煎七分空心溫服

〔四〕人參煮散　治脾胃不和中脘氣滯停積痰飲或因飲食過度內傷脾氣嘔吐痰水

人參四两　青皮去白　三稜煨各十二两　乾薑炮　丁皮各六两

茯苓去皮半斤　芍藥一斤　甘草炙十两　蒼朮去皮半斤

右為末每服二錢水一盞薑五片棗三枚煎七分空心溫服

〔五〕八味理中丸　治脾胃虛寒飲食不化胷膈痞悶或嘔吐痰水或腸鳴泄瀉

縮砂仁　川薑　麥糵各二两　白茯苓

神麯炒 人參各一兩 白术四兩 甘草炙一兩半

右爲末煉蜜爲圓每兩分作十圓空心用一圓薑湯嚼下或加平胃麯一兩爲末入塩點服亦可

（六）**大藿香散** 治一切脾胃虛寒嘔吐霍乱心腹撮痛及泄瀉不已最宜服之方見泄瀉門

（七）**秘方思食圓**

神麯炒九分 麥蘗炒六分 甘草炙 乾薑炮 人參各二分 烏梅去核五分

右爲末煉蜜圓如雞頭大每服十圓白湯下

（八）**是齋安中湯** 治脾胃一切不利

麥蘗炒 神麯炒各三分 良薑炒 川薑炮 莪术炮 陳皮去白 草菓 益智 甘草炙 三稜各一兩一分

右爲末每服二錢食後塩湯點下

（九）生胃丹 治脾胃不足停痰嘔逆不思飲食此藥以南星粟米黃土爲主蓋南星醒脾粟米養胃黃土以土養土也

大天南星 四兩用真黃土半斤將生姜汁作黃土成麪劑包裹南星慢火煨香透去土不用將南星切碎焙乾和後藥研

丁香　粟米 一升生姜二斤和擂皮取汁浸蒸焙

木香 不見火　厚朴 去皮姜製　神麯 炒　麥糵 炒　陳皮 去白

防風 去芦　白朮　縮砂仁　穀糵 炒　白豆蔻

青皮 去白各一兩　半夏麯 二兩　人參　沉香 不見火　甘草 炙各半兩

右爲末法圓如菉豆大每服七十圓不拘時淡姜湯下

（十）通膈圓 快氣進食利胷膈消膨脹

丁皮　蓽澄茄　白豆蔻　檀香

粉草 各半兩　縮砂仁　香附子　片子姜黃 各一兩

木香 五錢　甘松　丁香 各三錢

右爲末用蓽澄茄爲母法圓如梧桐子每服三十圓白湯下

（十一）補脾湯 治脾胃虛寒泄瀉腹滿氣逆嘔吐飲食不消

人參 茯苓 草果去皮 乾姜炮各一兩 麥蘖炒

甘草炙各一兩半 厚朴去皮姜製 陳皮 白术各七錢半

右㕮咀每服四錢水一盞煎七分空心服

（十二）家藏方豆蔻橘紅散 溫脾養胃升降陰陽和三焦化宿食

丁香 木香各一兩 白豆蔻仁 人參去芦

厚朴姜製 神麯炒 乾姜炮 半夏麯炒

橘紅去白 甘草炙 藿香葉去土 白术各半兩

右㕮咀每服三錢水一盞姜三片棗一枚煎七分溫服

（十三）家藏方沉香磨脾散 治脾胃虛寒心腹脹滿嘔逆惡心不思飲食或吐痰水

沉香 人參各二錢半 丁香七錢半 藿香去土一兩

檀香　甘草炙　白豆蔻仁　木香
縮砂　白朮　肉桂去皮　烏藥各半兩
右㕮咀每服三錢水一盞薑三片鹽一捻煎八分溫服

（十四）**治中湯**治脾胃不和嘔逆霍亂中滿虛痞或致泄瀉
人參去芦　甘草　乾姜炮　白朮剉
青皮去白　陳皮去白各一兩
右㕮咀每服三錢水一盞煎七分空心溫服嘔吐不已加半夏等分丁香減半名丁香溫中湯

（十五）**千金大養脾圓**治脾胃虛弱停寒留飲膈氣噎塞翻胃吐食常服養脾壯氣多進飲食
枳殼去穰　神麯　陳皮去白　麥糵炒　三稜炮
茴香　白姜炮　肉豆蔻　縮砂去皮　蓬朮炮
茯苓去皮　良姜　益智去殼　胡椒　木香一

藿香去梗 薏苡仁 紅豆 白朮 丁香

人參 白扁豆炒 苦梗炒 山藥 甘草各等分

右爲末煉蜜圓如彈子大每服一圓細嚼白湯溫酒任下

十六 **白朮湯** 理脾和胃順氣進食

白朮 厚朴 桂心 乾姜 甘草

桔梗 人參 當歸 茯苓各等分

右㕮咀每服四錢水一盞棗二枚煎八分溫服不拘時

十七 **丁沉透膈湯** 治脾胃不和痰逆惡心或時嘔吐飲食不進十膈五噎痞塞不通並皆治之

香附子炒 縮砂仁 人參各一兩 白朮二兩

木香 肉豆蔻 白豆蔻 丁香

青皮各半兩 沉香 厚朴姜製 藿香 陳皮各七錢半

麥蘖半兩 甘草炙兩半 半夏湯洗七次 草果 神麯炒各二錢半

右㕮咀每服四錢水一盞薑三片棗一枚煎七分熱服

（十八）**思食調中圓**治脾胃久弱三焦不調氣滯胸膈痞悶不食嘔逆惡心或吐痰水

陳麯炒　麥糵炒　陳皮去皮　半夏麯各一兩　沉香半兩

烏藥一兩　檳榔　人參各七錢半　白术一兩半　木香五錢

右為末蜜調白麪打糊圓如梧桐子每服三十圓米飲吞下

（十九）**木香調中圓**治因飲食不調致傷腸胃心腹脹痛臟腑泄瀉米谷不化

木香　青皮去白　陳皮去白　肉豆蔻麪煨

檳榔　三稜炮　訶子　草豆蔻仁各一兩

右為末麪糊圓如梧桐子大每服六十圓食前熱米飲下

（虛寒）

（二十）**麯术丸**治脾胃停飲腹脇脹滿不進飲食

神麯炒十兩　白术五兩　乾薑　官桂各三兩

吳茱萸　川椒各二兩

右為末薄糊圓如梧桐子每服五十圓生姜湯下有飲加半夏麯二兩煎服

〔二十一〕**燒脾散** 治飲啖生冷菓菜停留中焦心脾冷痛

乾姜炮　厚朴姜炒　草菓仁　縮砂仁　甘草

神麯炒　麥蘖炒　陳皮　高良姜各等分

右為末每服二錢熱鹽湯點服不拘時

〔二十二〕**温中圓** 治脾咳惡寒口中如含霜雪中脘疼痛

白术二兩　乾姜　半夏各一兩　細辛　胡椒各五分

右為末煉蜜圓如梧桐子每服五十圓空心姜湯下

〔二十三〕**棗肉丸** 治脾腎虛寒腸鳴泄瀉胸膈不快飲食不化

破故紙四兩炒　木香不見火一兩　肉豆蔻麵裹煨二兩

右為末燈心煮棗肉圓如梧桐子每服七十圓姜鹽湯下

二十四　家藏方八味湯　治脾胃虛寒氣不升降心腹刺痛臟腑虛
吳茱萸湯洗七次　乾姜炮各二兩　陳皮　木香
肉桂　丁香　人參去芦　當歸洗焙各一兩
右㕮咀每服四錢水一盞煎至七分溫服不拘時

二十五　壯脾丸　治脾胃虛寒飲食不進心腹脹滿四肢無力或
手足浮腫臟腑溏泄
獖猪肚一枚洗淨用造酒大曲四兩同剉厚朴二兩茴香一兩入在肚內以線縫定外用葱椒酒煑爛
取大曲茴香厚朴焙乾和後藥　肉豆蔻麵裹煨　禹餘粮煅研細
縮砂仁　麥蘖炒　神麯炒　附子炮去皮尖
白朮各一兩　木香不見火　丁香各半兩　陳皮一兩
右為末用猪肚和杵千百下圓如梧桐子每服五十圓用米
飲送下不拘時

二十六　補真圓　大抵不進飲食以脾胃之藥治之多不效者亦

有謂焉人之有生不善攝養房勞過度真陽衰憊坎火不溫不
能上蒸脾土沖和失布中州不運是致飲食不進胸膈痞塞或
不食而脹滿或已食而不消大腑溏泄此皆真火衰弱不能蒸
藴脾土而然古人云補腎不如補脾余謂補脾不若補腎腎氣
若壯丹田之火上蒸脾土脾土溫和中焦自治能進食矣

葫蘆巴炒　附子炮去皮　陽起石煅　川烏炮去皮
兎絲子淘淨酒蒸　沉香不見火別研　肉豆蔻面煨　肉蓯蓉酒浸焙
五味子各半兩　鹿茸去毛酒蒸焙　川巴戟去心　鍾乳粉各一兩

右為末用羊腰子兩對治如食法葱椒酒煮爛入酒糊杵和
圓如梧桐子每服七十圓空心米飲鹽湯任下

二十七　壯老強中圓　暖五臟健脾胃通和血脉除痰散積

神麴炒二十兩　麥芽炒十兩　吳茱萸炒　乾姜炮各四兩

右為末煉蜜圓如梧桐子每服五十圓米飲下不拘時

二十八 養胃湯 治脾胃虛寒嘔逆惡心腹脇脹痛腸鳴泄瀉或有外感寒熱如瘧骨節煩疼並皆治之

藿香去梗 厚朴姜製 半夏湯洗 茯苓各一两 草菓 附子炮 甘草炙 陳皮去白 人參各三分 白术半两

右㕮咀每服四錢水一盞半薑五片棗一枚烏梅半箇煎服

二十九 養脾圓 治脾胃虛冷心腹脹滿嘔逆惡心臟寒泄瀉

大麥糵炒 白茯苓去皮 人參去芦各一斤 白术半斤 乾薑炮 縮砂二斤去皮各 甘草爁一斤半

右為末煉蜜為圓每两作八圓每服一圓細嚼生薑湯下

三十 奪命抽刀散 治脾胃積冷中焦不和心痞腹痛嘔吐痰

糯米炒二十五两 乾薑二十两剉入巴豆半两同炒至黑色去巴豆 良薑二十两入斑猫一百箇同炒去斑猫 石菖蒲二十二两不見火

右為末每服二钱盐湯溫酒任下

（三十一）大建脾散 治脾胃虛寒不進飲食

白茯苓 甘草 白豆蔻 肉豆蔻 半夏 姜浸一宿

縮砂仁 青皮 蓽澄茄 檀香 茴香

厚朴 姜汁製 神麯 乾姜 陳皮 各一兩 川烏 炮去皮臍

草菓仁 附子 炮去皮尖各二兩 白朮 四兩 丁香 半兩

右㕮咀每服三錢水一盞半姜七片棗一枚煎七分空心服

（三十二）大建脾圓 調中養氣和胃建脾治中焦積寒胃脘氣痞嘔逆惡心臟腑虛滑

肉桂 去皮 厚朴 去皮細剉用生姜一兩研爛同淹一宿 乾姜 炮 甘草 炙各一兩

附子 炮去皮臍 神麯 炒 白豆蔻 丁香 胡椒

白茯苓 去皮 人參 去芦 肉豆蔻 麪煨 麥蘖 炒 蓽撥 各半兩

訶子 麪裹煨去核二錢半 白朮 木香 各五錢

右為末煉蜜圓如彈子大每服一圓細嚼溫米飲下

〔三十三〕**桂麯圓** 健脾胃進飲食尅化生冷温中下氣

人參　蓽撥　乾薑炮　肉豆蔻麪煨

良薑炒　桂枝去皮　陳皮去白　縮砂仁

白朮各一兩　甘草炒　丁香各半兩　神麯炒熟三兩

右為末熱湯泡蒸餅圓如梧桐子每服七十圓米飲下

〔三十四〕**厚朴煎圓** 温中下氣理脾進食常云補腎不若補脾然胃既壯則飲食進飲食既進榮衛血氣自盛矣

厚朴一斤及厚者去皮剉指面大用生薑一斤不去皮淨洗切片用水五升同煮水盡去薑只焙乾厚朴

乾薑同甘草煮　舶上茴香各四兩　附子二兩炮去皮臍

甘草剉半寸長二兩二味再用水五升同焙厚朴一處煮水盡不用甘草只將乾薑厚朴焙乾

右同為末生薑煮棗肉圓如梧桐子每服五十圓米飲下

〔三十五〕**進食散** 治脾胃虛寒或為生冷所傷或為七情所撓留膈痞塞不思飲食痰逆惡心大便溏泄

半夏麯　肉豆蔻麪煨　草果仁　乾薑炒
麥蘖炒　附子炮去皮尖　丁香　厚朴去皮姜炒
陳皮去白各一兩　人參去芦　青皮去白　甘草炙各半兩
右㕮咀每服四錢水一盞薑五片棗一枚煎不拘時溫服

（三十六）**附子建中湯**治脾氣虛寒腹脇脹滿身體沉重面色痿黃嘔吐不食大腑自利
肉豆蔻麪煨　白豆蔻　附子炮去皮　厚朴去皮炒
白朮　乾薑炮　神麯炒　紅豆各一兩
丁香　木香不見火　甘草炙　胡椒各半兩
右㕮咀每服四錢水一盞薑五片棗二枚煎不拘時溫服

（三十七）**木香疆散**治脾胃虛弱停食不化心腹絞痛腸滑自利
木香不見火　縮砂仁　良姜炒　乾姜炮
丁香各半兩　胡椒　陳皮去白　青皮去白

紅豆取仁　草菓仁　甘草各三分　白豆蔻仁二分

右㕮咀每服三錢水盞半姜三片棗一枚煎取一盞去姜棗再以銀器盛所煎藥於重湯內再煎八分空心熱服

(三十八) **進食散** 治脾胃虛冷不思飲食

青皮去白　陳皮去白　良姜炒　肉桂去皮

甘草炙各二分半　川烏頭炮　草菓肉各三錙　訶子煨去核五个

右為末每服三錢水一盞姜五片煎七分空心服

(三十九) **丁香煮散** 治脾臟伏冷胃脘受寒胷膈痞痛心腹刺痛痰逆惡心翻胃吐食方見嘔吐門

(熱實) (四十) **橘皮竹茹湯** 治胃熱多渴嘔噦不食

赤茯苓去皮　橘皮去白　枇杷葉去毛　麥門冬去心

青竹茹　半夏湯七次各一兩　甘草炙　人參各半兩

右㕮咀每服四分水一盞姜五片煎八分不拘時温服

〔四十一〕清脾湯治脾实伏熱口苦咽乾或有頭痛寒熱如瘧

茯苓　草菓　橘皮　白术各二两　川芎

人參　白芷　桂心　甘草炙各一两　半夏湯洗七次三两

右㕮咀每服四錢水一盞姜七片紫蘇三葉煎七分温服欲通利加大黄畧煎

〔四十二〕平胃散治胃經实熱口乾舌裂大小便秘澁及熱病後餘熱不除蓄於胃中四肢發熱口渴無汗

厚朴去皮姜炒　射干米泔浸　升麻　茯苓各两半

芍藥二两　枳殼去穰麸炒　大黄蒸　甘草炙各一两

右㕮咀每服四錢水一盞煎七分空心熱服

〔四十三〕瀉黄散治脾胃壅實口内生瘡煩悶多渴頰痛心煩唇口乾燥氣滞不食

藿香　石膏　縮砂　山梔子

甘草各半兩　防風四兩

右剉碎同蜜酒炒香焙為末每服三錢水一盞煎溫服

（四十三）枳殼圓　治脾胃實熱風氣心腹痞滯四肢疼痛兩脇脹滿不食大小便秘　方見秘結門

（宿積）（四十四）丁香半夏圓　治脾胃宿冷嘔吐痰水噫醋吞酸

人參　丁香　木香　肉豆蔻

陳皮各一分　藿香葉半兩　半夏湯洗七次姜汁淹炒黃二兩

右為末姜汁糊元如小豆大每服四十元姜湯下

（四十五）宣宿丸　治和脾胃寬胸膈消痰逆止嘔吐進益美飲食

官桂　乾姜各半兩　木香一分　大黃　蓬莪朮

芫花醋淬濕焙乾　枳殼去穰　茴香炒　陳皮各乙兩

半夏二兩　牽牛半斤取末四兩　巴豆四个

右為末滴水為丸如小豆大每服二三十丸溫水下

（四十六）小七香圓治嘔逆化積氣消宿食止瀉痢

甘松八兩炒　甘草炒　香附子炒去毛　丁香皮各二十一兩

蓬莪朮煨　縮砂仁　益智仁炒各二十六兩

右為末水化蒸餅圓如菉豆大每服二十圓溫酒薑湯任下

（四十七）紅圓子壯脾胃消宿食并治冷瘧

京三稜水浸軟　青皮去白　蓬莪朮　陳皮去白各五斤

乾薑炮　胡椒各三斤

右為末醋糊圓如梧桐子礬紅為衣每服二十圓食後薑湯下

通治（四十八）七珍散開胃養氣溫脾進食

人參　白朮　黃芪蜜炙　山芋

茯苓　粟米炒　甘草各一兩

右為末每服三錢水一盞薑棗煎服又方加白扁豆一兩蒸

用名八珍散

四十九 平胃散 治脾胃不和不進飲食常服煖胃消痰

蒼朮 去皮米泔浸二日五斤 厚朴 去皮薑製炒香 陳皮 去白各三斤二兩 甘草 三十兩

右爲末每服二錢水一盞薑三片棗一枚煎或鹽湯點服亦可

一方加草菓名草菓平胃散

五十 加減平胃散

若瀉脾濕加茯苓丁香白朮爲調胃散一法加藿香半夏○若加乾姜爲厚朴湯○若瘟疫時氣二毒傷寒頭痛壯熱加連根葱白五寸豆豉三十粒煎二三服微出汗愈○若五勞七傷手脚心熱煩躁不安百節酸疼加柴胡○若痰嗽瘧疾加姜製半夏○若本藏氣痛加茴香○若水氣腫滿加桑白皮○若婦人赤白帶下加黃芪○若酒傷加丁香○若飲冷傷食加高良姜○若滑脫泄瀉加肉豆蔻○若風痰四肢沉困加荊芥○若腿膝冷痛加牛膝○若渾身虛癢拘急加地

骨皮○若腿膝濕痺加兎絲子○若白痢加呉茱萸○若赤痢加黄連○若頭風加藁本○若轉筋霍乱加南木皮○若七邪六極耳鳴夢泄盜汗四肢沉重膝腿酸疼及婦人宮藏久冷月脉不調者加桂○若胃寒嘔吐多加生姜一法加茯苓丁香各三两共成六味○若氣不舒快中脘痞塞加縮砂仁香附子各三两生姜煎服○若与五苓散相伴爲對金飲子○若六一散相合爲黄白散○若与錢氏異功散相合爲調胃散○若欲進食加神曲麥蘖呉茱萸蜀椒乾姜爲呉茱萸湯○若加藁本爲和氣散治傷寒吐利○若加霍香半夏爲不换金正氣散○若瘧疾寒熱者加柴胡○若小腸氣痛加苦練茴香

（五十二）**天下受拜平胃散**治脾胃不和嘔吐痰水胸膈痞滯不飲食並皆治之

厚朴去皮 陳皮湯洗存白 生姜和皮 甘草剉各二兩

茅山蒼朮去皮米泔浸一宿剉五兩 南京小棗二百枚去核

右用水五升煮乾擣作餅子曬乾再焙研爲細末每服二錢

鹽湯點服泄瀉姜五片烏梅二箇水一盞半煎服

（五十二）**小橘皮煎丸** 消食化氣宜常服之

三稜 莪朮並煨 青皮 陳皮各去白

神麯炒 麥蘗炒各等分

右爲末陳米粉煮糊元如梧桐子每服五十元米飲下

（五十三）**溫脾散**

青皮 陳皮 縮砂仁 舶上茴香炒 良薑

桔梗 白芷 厚朴各一兩 木香 麥蘗

香附子 白朮各半兩 甘草兩半 紅豆 乾葛各三分

右㕮咀每服三錢水一盞棗一枚煎七分空心服

〔五十四〕四君子湯　治脾胃不調不思飲食

人參去蘆　甘草炙　茯苓去皮　白术各等分

右㕮咀每服三匁水一盞煎七分不拘時服〔一方〕加橘紅名異功散〔又方〕加陳皮半夏名六君子湯

〔五十五〕開胃生姜丸　治中焦不和胃口氣塞水穀不化噫氣不通噎塞痞滿口淡呑酸食時膨脹噦逆惡心嘔吐痰水宿食不消咳嗽脇肋刺痛寬中開胃進美飲食

桂心一兩　生姜乙斤切作片子塩二兩淹一宿再焙乾　青皮去白

陳皮去白　甘草炙各二兩　縮砂仁四十九个　廣茂　當歸各半兩

右爲末煉蜜丸如弾子大每服乙丸食前細嚼沸湯化下

〔五十六〕二陳湯　理脾胃消痰飲　方見痰飲門

〔五十七〕茯苓分氣飲　治脾胃不和胷膈噎塞氣促喘急心下脹滿不思飲食又名分氣紫蘇飲　姜三片塩少許煎　方見喘急門

（五十八）**八珍湯** 和血氣理脾胃

當歸　赤芍藥　川芎　熟地黄

人參　白茯苓　甘草　縮砂仁各等分

右㕮咀每服三錢水一盞姜七片棗三枚同煎空心溫服

（五十九）**直指方和中散** 和胃氣止吐瀉

石蓮肉　茯苓各二錢半　藿香　人參　甘草炙

白扁豆　天麻　木香　白朮各半兩

右㕮咀每服四錢水一盞姜三片煎服

翻胃 附 五噎五膈

翻胃之證其初也未有不由五噎五膈而始者五噎五膈者喜怒不常憂思勞役驚恐無時七情傷於脾胃鬱而生痰痰與氣搏升而不降飲食不下蓋氣留於咽嗌者為五噎結於胷膈者

為五膈治療之法當順氣化痰溫脾養胃久而不治則氣体虛弱脾胃冷絶致成翻胃食罷即反或一日二日而反至此亦甚危矣非硇砂礞石痰化積兼以剛剤暖胃不足以療此證如水穀並不能下之方便集中一方用丁香附子為末於掌心舐喫亦一法也如趺陽脉緊而濇者為難治之證又有下虛之人氣上控膈令人心下緊滿痞急肌中若痺緩急如刺不得俛仰名曰胃痞其證類乎五膈又當以嚴氏瓜蔞實圓治之此證又宜詳審

虛寒（六十）丁香煑散 治脾胃虛冷翻胃嘔逆並皆治之

方載脾胃門

（六十一）附子丁香散 治翻胃吐逆臟腑泄瀉等疾

附子一两炮 乾姜炮 丁香 肉豆蔻煨

白朮各半两 甘草三分

右為麄末每服三分水一盞姜五片煎六分空心服

（六十二）**養胃湯** 治脾胃虛冷不思飲食翻胃嘔吐

白豆蔻仁　人參　丁香　縮砂仁

肉豆蔻　炮附子　粉草炙　沉香

橘紅　麥芽　麥曲各二两半

右為細末姜鹽湯調下

（六十三）**大倉丸** 治脾胃虛弱不進飲食翻胃不食亦宜服之

白豆蔻仁二两　丁香一两　縮砂仁二两　陳倉米一升用黃土炒米熟去土不用

右為細末用生姜自然汁法丸如梧桐子大每服百丸食後用淡姜湯送下

（六十四）**人參灵砂** 治翻胃嘔吐飲食不下

灵砂一两　丁香　木香　胡椒各半两末

右和匀煮棗爛肉杵為丸菉豆大每服六十粒姜湯米飲下

（六十五）**安脾散** 治翻胃吐食噦酸曰吐黃水方載嘔吐門

（六十六）丁香附子散 治翻胃不納飲食

大附子一个緊实者切去上小截留作盖子勿使之碎將下一截剜一竅以丁香四十九粒安竅內以小截盖之用線紮縛定砂銚內用生姜汁浸過附子為則慢火熬至干取附子丁香為末和匀每挑少許在掌内舌舐而嚥日十數次忌毒物生冷

（六十七）附子散 治翻胃

大附子一枚置磚上四面着火漸二遍热以附子淬入姜汁中再過再淬約姜汁尽半椀為止却焙乾附子為末每服二錢水一盞粟米同煎七分不過三服即愈

（六十八）附子黃耆草菓散 治翻胃不進飲食

白朮　官桂　附子炮　厚朴去皮姜製　草菓煨去皮

白芍藥　白茯苓　黃耆去芦炙　良姜各一兩　白豆蔻

檀香各半兩　甘草炙三分　半夏三分湯洗七次

右㕮咀每服四錢水一盞姜五片棗一枚煎服不拘時

（六十九）**神效丁香煮散** 治翻胃嘔逆

石蓮肉　丁香各十四枚　北棗七个切碎　生姜七片　黄秫米

右用水椀半煮稀粥去滓食粥

（七十）**青金丹** 治一切吐逆及反胃方見嘔吐門

（七十一）**六丁丸** 治反胃如神

五靈脂五分　辰砂一分　母丁香一兩

為末入黃狗膽糯米粽子尖為丸雞頭大每一丸姜湯化下

（七十二）**小半夏丸** 治翻胃

半夏　胡椒

等分為末姜汁糊丸梧子大每三十丸姜湯下

（五膈）**五膈散** 治五膈氣結胸膈痞悶痰逆惡心不進飲食

木香不見火　青皮　大腹子　枳殼去穰麸炒

丁香不見火　乾姜炮　半夏麴炒　天南星湯泡去皮

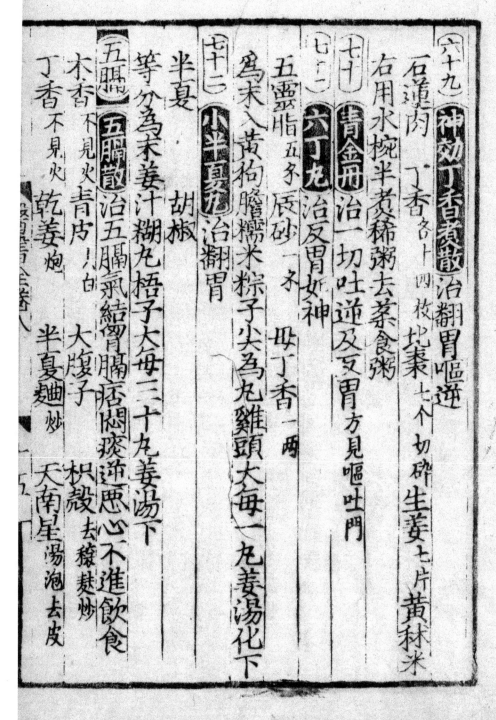

草菓仁　麥蘗炒　白朮各一兩　甘草炙半兩

右㕮咀每服三錢水一盞姜五片煎七分溫服

（七十三）

（七十四）**瓜蔞實丸** 治胸痞痛徹背脇喘急妨悶

瓜蔞實別研　枳殻去穰麩炒　半夏湯洗七次　桔梗炒各一兩

右為末姜汁打糊丸如梧桐子每服五十丸食後淡姜湯下

（七十五）**十膈氣散** 專治十般膈氣冷膈風膈氣膈痰膈熱膈憂膈悲膈水膈食膈喜膈

人參去芦　白茯苓去皮　官桂去皮　枳殻去穰麩炒

甘草炙　神麯炒黃色　麥蘗炒黃色　訶梨勒皮煨去核

蓬莪朮煨　京三稜煨　乾生姜炮　陳皮去白

白朮各一兩　厚朴去皮姜製　檳榔煨　木香各半兩

右為末每服二錢入鹽一字白湯點服如脾胃不和腹脇脹滿用水一盞姜七片棗一枚鹽少許煎服

〔七十六〕**人參利膈丸** 治胸中不利痰嗽喘滿利脾胃壅滯推陳致新治膈氣聖藥

木香 檳榔七分半 人參 當歸 藿香

甘草 枳實各一兩 大黃酒浸 厚朴姜製二兩

右為末滴水為丸桐子大溫水送下

〔七十七〕**百杯丸** 治酒停腹中膈氣痞滿面色黃黑將癖疾飲食不進日漸肌瘦如飲酒先服此藥百杯不醉亦無諸疾

紅皮二兩去白秤 木香 廣茂炮三分 乾姜三兩

丁香五十个 甘草炙二分 茴香 京三稜炮三分

縮砂仁三十个 白豆蔻三十个 生姜一兩去皮切作片子鹽二兩醃一宿焙乾

右為細末煉蜜為丸朱砂為衣每一兩作五丸生姜湯下細嚼無時

〔七十八〕**通膈散** 治五種膈氣

赤茯苓去皮 陳皮去白 訶梨勒皮 白朮 神麯炒
京三稜煨 草豆蔻去皮 檳榔半生半熟 乾姜炮 甘草炙
五味子炒 厚朴去皮姜製 郁李仁湯浸去皮麸炒 人參
肉桂去皮 半夏湯洗了和生姜同搗如泥却推在新瓦上
用文武火煅令黃色 枳殼去穣麸炒 木香各一兩
右㕮咀每服三錢水一盞姜棗煎服鹽湯點亦可

七十九 **藏方姜合丸** 治中脘停痰胷膈痞結欲成翻胃
硇砂紙上飛過 肉桂去皮 附子炮去皮臍各一兩 茴香二錢半炒 丁香
陳皮去白 青皮去白 蓽澄茄 沉香各半兩 木香 兩
右為末次入硇砂研勻酒煮麪糊為丸每兩作二十丸每服
一丸以生姜一塊剜如合子安藥在内濕紙裹煨令香去紙
放溫細嚼鹽湯送下不拘時

八十 **五膈寬中散** 治七情四氣傷于脾胃以致陰陽不和胷

膈痞痛停痰氣逆遂成五膈之病一切冷氣並皆治之

青皮去白　陳皮去白　丁香各四两　縮砂仁四两　木香三两

甘草炙五两　白豆蔻去皮二两　香附子炒去毛　厚朴去皮薑製各一斤

右為末每服二錢薑鹽湯點服不拘時

（八十一）膈氣散　治五種膈氣三焦痞塞嘔吐痰逆飲食不下

肉豆蔻　甘草炙　乾薑炮　青皮去白　檳榔炙

厚朴去皮姜製　枳殼去穣麸炒　木香各五两

陳皮去白　蓬莪朮炮　益智仁　京三稜炮　肉桂去皮各十两

右為末每服二錢水一盞薑棗煎服鹽湯亦可點服

（五噎）

（八十二）漢防已散　治噎

漢防已五錢　官桂一两　細辛七錢半　陳皮去白一两

羚羊角七錢半　紫蘇七錢半　杏仁洗去皮尖一两

右爲粗末每服三錢生姜三片水煎日進三服

（八十三）五噎散　治五噎食不下嘔噦痰多咽喉塞噎胸背滿痛

人參　半夏湯洗七次　桔梗去芦炒　木香不見火

沉香不見火　白豆蔻　杵頭糠　蓽澄茄

枇杷葉去毛　乾生姜　白朮各一兩　甘草炙半兩

右㕮咀每服三錢水一盞姜七片同煎食後溫服

（八十四）撞氣阿魏圓　治五種噎疾九般心痛痃癖氣塊腹痛腸鳴嘔吐酸水丈夫小腸氣婦人血氣並皆治之方載諸氣門

〔通治〕（八十五）奪命四生散　治五膈五噎翻胃嘔吐不進飲食服此藥多有神效不可輕視

丁香揀淨　川芎　白姜洗淨炮　南木香不見火

肉桂去皮不見火　新羅參　神麯各半兩　大草菓二个炮取仁

訶子七枚取肉　縮砂仁二十粒　莪朮炮　粉草炙各七錢半

巴豆十四粒去殼心膜不去油冷水浸一宿別研為膏留就鉢中

右十二味日乾爲末入乳鉢内和匀巴豆膏再篩過入瓷合内以油紙盖合口却用黄蠟和松脂溶如法封固合縫每以十二月上辰日或初八黄道生炁天月二德日至誠修合於地高燥處埋土中三尺深至次年六月中伏節擇吉日晴明時取出向當風處攤去濕氣以不漏瓷瓶收貯密封壯实人每服用半分臨睡百沸湯調半盞頓服仰卧片時徐以温白粥壓下若羸弱只服一字二三服即能進食止嘔吐續以寬中散丁沉透膈湯橘皮煎元厚朴煎元等兼進佐助胃氣忌生冷魚腥粘膩并硬物一兩月則全愈矣孕婦不可服

八十六 **沉香散** 治五噎五膈常服寬中進食

白术　茯苓各半兩　木通　大腹皮　白芷各三兩

當歸　陳皮　青皮　大腹子　枳殻去穣麸炒

木香　芎藭各二兩　甘草炙一兩　紫蘇葉五錢

右為末每服二錢水一盞薑三片棗一枚煎七分空心温服

（八十七）寬中進食丸　滋形氣喜飲食

草豆蔻五錢　縮砂仁二錢半　半夏七錢　大麥蘖炒五錢半

枳实去穣麸炒四两　神曲炒五錢半　炙甘草一錢半

乾生姜　橘皮各二錢半　木香一錢　白术三錢

白茯苓三錢　猪苓去皮　澤瀉　人參

青皮　檳榔各二錢半

右為細末湯浸蒸餅為丸如桐子大每服三十丸米飲湯送下食後服

名方類證醫書大全卷之八

名方類證醫書大全卷之九

鼇峯熊宗立道軒編集

諸虚

諸虚之與勞極雖曰皆由体氣虚弱心腎有虧水火不自升降而致此疾然各有其所因不可不究諸虚者或稟賦素弱又為寒暑勞役所傷或色慾過度俱能戕賊真氣以致肌体羸瘦腰膝无力小便頻數大便滑泄目眩耳聾遺精自汗甚則虚炎上攻面紅發喘此皆諸虚之證勞極者七情傷乎五臟也盡力謀慮勞傷乎肝應乎筋極曲運神機勞傷乎心應乎脉極意外過思勞傷乎脾應乎肉極預事而憂勞傷乎肺應乎氣極矜持志節勞傷乎腎應乎骨極此五勞應乎五極者也勞極精氣變生

諸證其脉多弦治療之法虚者補煖之勞極者溫而精而安其五臟又隨其冷熱調之故素問云形不足者溫之以氣精不足者補之以味凡滋補之㮣當用平和不可驟用峻補緣腎水枯竭不足以當之又恐愈甚上炎之患慎之慎之

心虚（一）參香散 治心氣不足諸虚百損常服調榮衛寧心志

人參　白朮　白茯苓　丁香　乾薑炮各半兩

山藥　烏藥　縮砂仁　沉香各二分　蓮肉去心一兩

橘紅　黄耆　南木香　檀香各一分　甘草炙三分

右㕮咀每服四錢水一盞姜三片棗一枚煎食前服一方加熟附子一隻

（二）補心圓 治憂愁思慮過多心血虚寒悸恐不樂舌強話難恍惚喜忘愁恚面黄多汗不進飲食 方見心痛門

肝虚（三）柏子仁湯 治肝氣虚寒兩脇脹滿筋脉拘急腰膝小

腹痛面青口噤

栢子仁　白芍藥　防風　茯神

當歸　芎藭　附子炮去皮各一兩

細辛　桂心　甘草炙各半兩

右㕮咀每服四錢水一盞半姜五片煎七分温服

〔脾虛〕四　進食散　治脾胃虛寒或食生冷或飲食不節或因思慮傷動沖和之氣胷膈痞塞腹脹怠惰全不進食痰逆惡心大便溏泄方見脾胃門

五　理中湯　治脾胃虛寒方見脾胃門

六　北亭圓　治脾元氣弱久積陰冷心腹脇肋脹滿刺痛面色青黃肌冷瘦弱怠惰好臥食少多傷噫氣吞酸噦逆惡心腹中虛鳴大便滑泄胷膈痞塞食飲不下霍乱轉筋五臓五噎反胃吐食久痛久痢並治之

砂仁　胡椒　肉桂　厚朴姜炒　附子炮
川芎　當歸　陳皮　乾姜　甘草各四两
阿魏醋化去土石　青塩　北亭醋洗去沙石
五味子各二两　白术三两
右爲末銀石器內入好酒醋五升白沙蜜十两先下北亭阿
魏青塩三味并好頭麪一升同煎稠粘便下藥末半斤更煎
如稀糊漸入藥末煎得所取出更以乾藥末搜和成丸劑更
搗千杵丸如梧子大每服十五丸生姜塩湯下空心忌羊血
豆豉汁
〔肺虛〕（七）白石英湯　治肺氣虛弱惡寒欬嗽鼻流清涕喘息
氣微或咳嗽膿血
白石英　細辛　五味子　陳皮　阿膠
鍾乳粉　桂心　人參　甘草各半兩　紫菀一兩

右㕮咀每服四錢水一盞半姜五片煎八分去滓温服

（腎虛）（八）**安腎圓** 治腎經積冷下元衰憊目暗耳鳴四肢无力夜夢遺精小便頻數常服補元陽益腎水

桃仁 去皮尖炒四十八两　肉桂 去皮不見火十六两

白蒺藜 炒去刺　巴戟 去心　肉蓯蓉 酒浸炙　山茱

破故紙　茯苓 去皮　石斛 去根炙　萆薢

白朮 各四十八两　川烏 用去皮臍十六两

右為末煉蜜為圓如梧桐子每服三十圓温酒鹽湯任下

（九）**玄兎丹** 治腎水枯竭津液不生消渴諸證並皆治之

兎絲子 酒浸湿研焙乾取末十两　五味子 酒浸研末半两

白茯苓　乾蓮肉 各三两

右為末別碾乾山藥末六两將浸酒余者添酒煮糊搜和擣數千杵元如梧桐子每服五十圓米湯空心下

（十）四柱散治元臟氣虛真陽耗散兩耳蟬鳴臍腹冷痛大小便滑數並皆治之方載泄瀉門

（十一）九子圓強陽補腎益精氣壯筋骨

鹿茸一兩刮去毛酥塗炙令黃色其味甘酸其性溫無毒主男子腰腎虛冷腳膝少力夜多異夢精溢自出助陰氣

肉蓯蓉四兩酒浸三宿切焙干其味甘酸鹹其性溫治男子絕陽不興女子絕陰不產潤五臟養肌肉暖腰膝益精血令人有子

仙茅一兩糯米泔浸三宿用竹刀刮去皮於槐木砧子上切陰乾其味辛其性溫主丈夫虛損婦人失血無子久服通神養志壯筋骨益肌膚長精神明眼目

二兩去心其味苦其性溫主傷中補不足除邪氣利九竅益智慧聰耳明目強志久服輕身不老

續斷一兩搥碎去筋脉酒浸一宿其味苦辛其性温主助氣
潤血脉補不足
蛇床子一兩微炒其味温辛其性平主男子陰養湿痒久服
輕身好顏色強陰令人有子
巴戟一兩去心其味辛甘其性温主陰萎強筋骨安五臓補
中增志益精養氣
蘹香子一兩炮上者微炒其味辛其性平主膀胱腎間冷气
因人重之能助陽道
車前子一兩其味甘其性平微寒主男子傷中強陰益精令
人有子明目利水道
右爲末用鹿角脊髓五條去血脉筋膜以无灰酒一升煑熬
成膏更研極爛同煉蜜少許和圓如梧桐子每服五十圓温
酒空心送下

（十二）滋補丸 治腎水燥少不受峻補口乾多渴目暗耳聾腰痛腿弱小便赤澀大便或秘

天門冬去心　川牛膝去芦酒浸　熟乾地黄酒蒸　生地黄洗

白蒺藜炒　麥門冬去心　白芍藥　地骨皮　石斛去根

磁石火煅七次研水飛過　玄參　沉香別研不見火各等分

右為末煉蜜丸如梧桐子每服七十丸空心鹽湯鹽酒任下

（十三）陽起石丸 治腎臟虚損陽氣微弱

肉蓯蓉酒浸　青鹽別研　陽起石煅　韭子　山藥炒

鹿茸酒蒸　鍾乳粉　兔絲子水淘酒蒸焙別研

山茱萸取肉　桑螵蛸　沉香不見火　原蚕蛾酒炙各半兩

右為末酒糊丸如梧桐子每服七十丸空心鹽酒鹽湯任下

（十四）兔絲子圓 治腎氣虚損五勞七傷脚膝酸疼面色黧黑目眩耳鳴心忪氣短時有盗汗小便滑数並宜服之

鹿茸去毛酥炙一两　續斷三分　桑螵蛸酒浸炒
覆盆子去枝葉萬各半两　防風去苗　杜仲去皮炒各三分
石龍芮去土一两　肉蓯蓉酒浸焙三分
肉桂去皮一两　補骨脂去毛酒炒三分
附子炮去皮尖三两　蓽澄茄　巴戟去心
沉香各三分　芎藭半两　茴香炒三分　兎絲子淨洗酒浸一两
石斛去根　熟乾地黄　白茯苓去皮　牛膝酒浸一宿焙干
山茱萸去核各一分　五味子半两　澤瀉一两
右為末酒煮麪糊丸如梧桐子每服三十丸温酒鹽湯任下

(十五)**鹿茸丸**治腎虚少氣腹脹腰痛手足无力飲食減少面色黧黑百節酸疼
川牛膝去芦酒浸　鹿茸去毛酒蒸　五味子各二两
石斛去根　兎絲子淘淨酒蒸　棘刺　杜仲去皮炒焙

巴戟去心　山藥炒　陽起石煅　附子炮去皮尖　川練子取肉炒

磁石煅　官桂不見火　澤瀉各二兩　沉香半兩別研

右為末酒糊丸如梧桐子每服七十丸空心溫酒下

（十六）安腎丸　治腎虛腰痛目眩耳聾面色黧黑肢体羸瘦

葫芦巴　補骨脂　川練　茴香　山藥

杏仁炒去皮尖麸炒別研　續斷各三兩　桃仁　茯苓各二兩

右為末蜜丸如梧桐子空心鹽湯服五十丸

（十七）溫腎散　治腎經虛寒腰脊重痛四肢乏力面少顏色

熟乾地黃一斤洗焙　牛膝　蓯蓉　五味子各八兩

杜仲三兩　甘草炙八　巴戟　麥門冬各八兩　茯神　乾姜各五兩

右為末每服二錢空心溫酒調下

（十八）起痿丹　治腎經虛敗遂成骨痿腰腳難辛白加困乏

附子炮去皮尖　枸杞子揀去枝梗　肉蓯蓉酒浸焙乾　沉香不見火　官桂

朱砂別研　熟地黄酒洗蒸　母丁香各一兩　木香不見火　陽起石火煅
天雄炮去皮臍或用鹿茸亦可　硫黄　麝香別研　膩粉半兩　白丁香
右爲末煉蜜元如彈子大每用一元以姜汁火上入藥溶化
却用手點藥於腰眼上磨擦至藥盡用至二十元大有神效
若有他処癱瘓風疾加皂角一斤去筋搥爛姜汁浸一宿瓦
上焙乾爲末入前藥内依法用

(十九)五精丸　治腎虛痿弱大補元氣
秋石剛健者　鹿角霜　茯神去木　陽起石　山藥各等分
右爲末酒糊丸如梧桐子空心服五十粒須要常近火边使
乾燥庶幾服之无恋膈之患

(二十)鹿茸丸　治精血虛憊補益腎水
嫩鹿茸一兩蜜炙　沉香　附子去皮臍　當歸　茴香炒各半兩
兎絲子一兩酒浸蒸數次研如泥蒻葉上焙　胡芦巴熟炒　破故紙炒各半兩

右用酒煮糊丸如梧桐子每服七十丸空心鹽酒鹽湯下

心腎虛　芡實圓　治思慮傷心疲勞傷腎心腎不交精元不固面少顏色驚悸健忘小便赤澁遺精白濁足脛酸疼耳聾目暗

芡實蒸去殼　蓮花鬚各二兩　茯神去木　山茱萸取肉

龍骨生用　五味子　枸杞子　熟地黃酒蒸

韭子炒　肉蓯蓉酒浸　川牛膝去芦酒浸　紫石英煅七次各一兩

右爲末酒煮山藥糊圓如梧桐子每服七十圓空心鹽湯下

二十二　小兔絲子元　治腎氣虛損目眩耳鳴四肢倦怠夜夢遺精常服補益心腎

石蓮肉二兩　兔絲子酒焙末五兩　白茯苓焙一兩　山藥二兩內七分半打糊

右爲末用山藥糊搜和圓如梧桐子每服五十元空心溫酒鹽湯任下如脚膝无力木瓜湯下

二十三　瑞蓮丸　定心煖腎生血化痰

蒼朮主脾一斤内酒浸四两醋浸四两米泔浸四两生用四两
枸杞子主肝二两去枝　蓮肉主心一斤去心皮酒浸軟入猪肚内煑極爛取出焙干為膏每一斤約猪肚二个
北五味子主肺二两去枝　熟地黄主血二两酒浸蒸　破故紙主腎二两炒
右為末煑猪肚膏同酒糊丸如梧桐子空心温酒下四十丸

肝腎虚　巴戟丸　治肝腎俱虚收斂精氣補元陽充肌膚進飲食
五味子　川巴戟去心　肉蓯蓉　人参　兎絲子
熟地黄　覆盆子　白术　益智仁　骨碎補
白龍骨　茴香　牡蠣各等分
右為細末煉蜜為丸如桐子大每服三十丸空心米飲送下

二十五　鹿茸四斤元　治肝腎虚損之極以致筋骨痿弱不自勝持起居无力足膝酸疼肌体瘦悴氣血不生
肉蓯蓉酒浸　天麻　兎絲子酒浸別研　牛膝酒浸

熟地黄　鹿茸火去毛酥炙　杜仲酒浸　乾木瓜各等分

右爲末蜜元如梧桐子每服五十元温酒米湯任下

心脾虚　末病蓮心散　治虚勞或大病後心虚脾弱盗汗遺精

蓮肉一两　白术　人参　白茯苓　五味子　木香

薏苡仁炒　桔梗炒　甘草炙　白扁豆炒　丁香　白芷

當歸各半两　桑白皮　乾葛炒　黄耆炒　杏仁去皮尖炒

乾姜炮　山藥炒　半夏麯　百合　神麯炒各一两

右㕮咀每服三錢水一盞姜棗同煎空心温服　二十六

脾腎虚　二十七　五味子丸　理肝腎俱虚收斂精氣補真陽止虚汗

益智仁炒　蓯蓉酒浸焙　川巴戟去心　人参去芦

五味子去梗　骨碎補去毛　土茴香炒　白术　兎絲子

覆盆子　白龍骨　熟地黄洗　牡礪各等分

右爲末煉蜜丸如梧桐子每服三十丸空心米飲下

三十八 橘皮煎圓 治脾腎俱虛不進飲食肌体羸瘦四肢乏力常服壯脾胃益腎水

荆三稜煨三两 陳皮去白十五两 當歸去芦炒 萆薢 呉茱萸湯洗去浮者焙乾 厚朴姜製 肉蓯蓉酒浸炙 肉桂去皮 陽起石酒浸研如粉 附子炮去皮尖 巴戟去心 石斛去根 牛膝去芦酒浸 甘草炙一两 鹿茸茄子者火去毛劈開酒浸 兎絲子酒浸焙 杜仲去皮姜汁炙 乾姜炮各三两

右為末用酒五升於銀石器内將橘皮末煎熬如餳却將諸藥末入在内一処攪和搜匀仍入臼内擣千百杵圓如梧桐子每服三十元空心温酒鹽酒任下

交濟 三十九 十精丸 升降陰陽既濟水火平補心腎

遠志 青鹽 破故紙 白茯苓 益智仁各一两 石菖蒲五分 兎絲子 川當歸 牛膝各二两 山茱萸半两

右為末用豮猪腰子一隻去膜和酒研細煮麪糊圓如梧桐

子每服五十圓空心鹽湯溫酒任下如小便赤而少車前子煎湯下心虛精神不定茯苓湯下如夜間煩躁不得睡用酸棗仁末調湯下如心氣盛塞煎麥門冬湯下一方去菖蒲加熟乾地黃二兩并用羊腰子爲圓

（三十）**究原心腎丸** 治水火不既濟心忪盜汗夜夢遺精目暗耳鳴腰膝緩弱常服調元陽補心腎

五味子去皮 人參去苗 遠志去苗甘草煮搥去骨 附子炮去皮臍 龍骨煅

白茯神去木 鹿茸酥去毛酒塗炙 當歸去蘆酒煮 黃耆蜜炙各一兩 蓯蓉酒浸

牛膝酒浸 熟地黃各二兩 兎絲子酒浸蒸碾成餅三兩 山藥一兩

右為末用浸藥酒煮糊丸如梧桐子每服七十丸棗湯送下

（三十一）**八味圓** 治下元冷憊心火上炎渴欲飲水或腎水不能攝養多吐痰唾及男子消渴小便反多婦人轉胞小便不通皆治方載痰飲門

三十二 黑錫丹 治男子婦人上盛下虛痰涎壅塞氣不升降
方載痰飲門

三十三 靈砂丹 治諸風風痰壅盛鎮墜升降陰陽 方見痰飲門

三十四 養氣丹 治諸虛百損真陽不固氣不升降 方見氣門

三十五 養正丹 治男子婦人上盛下虛水火不得升降 方見氣門

三十六 丙丁丸 生血養氣升降水火

附子 一箇九錢重炮　川烏 一箇七錢重炮
當歸 二兩酒浸　赤芍藥 五兩　沉香　益智 各半兩
右為末浸當歸酒煮麪糊丸如梧桐子朱砂為衣每服五十丸空心塩酒塩湯任下婦人淡醋湯下

三十七 補髓丹 升降水火益壽延年

補骨脂 十兩用芝麻五兩同炒候無声去芝麻
杜仲 去皮十兩炒黑　鹿茸 燎去毛二兩酒炙　沒藥 一兩別研

右將三味一處爲末入没藥和勻用胡桃三十箇湯浸去皮杵爲膏入麪酒糊圓如梧桐子每服百丸鹽酒鹽湯任下

三十八 **玉關圓** 治諸虛不足交媾心腎常服固精氣寧心志常淋白濁服之神效

辰砂一兩 鹿茸二兩作片酥炙 當歸酒浸焙 茯神去木各兩

附子七个重者四个生去皮小下頂刮空空中安辰砂在内以前頂子蓋了片綫扎 杜仲去皮酒浸兩半

木瓜大者二个切開頂去穰入朱砂附子在内以木瓜元頂子蓋之綫扎定入甑蒸乾取出附子作片焙乾爲末朱砂細研水飛木瓜研和膏宣瓜者最妙 沉香別研一兩 五味子一兩半

巴戟去心 黃耆去蘆蜜炙各一兩 遠志去心炒二兩 肉蓯蓉酒浸

川牛膝去蘆酒浸 石斛去根酒浸各一兩 栢子仁炒別研一兩 兔絲子水淘酒浸別研一兩半

右爲末用木瓜膏杵和入少酒打糊圓如梧桐子每服七十圓空心米飲温酒鹽湯任下

益氣虛 **黃耆建中湯** 治男子婦人諸虛不足羸乏少力此藥大

生血氣補益榮衛（三十九）

黄耆去芦 肉桂去皮各三兩 甘草炙二兩 白芍藥六两

右㕮咀每服三錢水一盞半姜三片棗一个同煎一法用炒浮小麥同煎去滓入餳少許再煎令溶稍熱服虚者加熟附子

（四十）天真圓 治一切亡血過多形容枯槁四肢羸弱飲食不進腸胃滑泄津液枯竭久服生血養氣暖胃駐顏

羊肉七斤精者為妙洗去筋膜并去脂皮批開入藥末

肉蓯蓉十兩 當歸十二兩去芦洗 山藥十兩去皮 天門冬一斤去心焙

右四味為末置之羊肉內裹定以麻綫纏縛用无灰好酒四瓶煮令酒盡再入水二升又煮直候肉爛如泥再入黄耆末五两人参末三两白木末二两熟糯米飯焙乾為餅將前後藥末同劑為元如梧桐子一日二次服三百粒溫酒送下如覺難元入蒸餅五七枚焙乾為末同入臼中杵千下丸之

（四十一）家藏方三仁五子圓治血氣耗損五臓不足睡中驚悸
盜汗常服養心益肝生血補氣
兎絲子酒浸一宿別研焙干　五味子　枸杞子　覆盆子
車前子　栢子仁　酸棗仁炒　薏苡仁炒　沉香
鹿茸酥炙　肉蓯蓉酒浸切焙　巴戟去心　當歸洗焙
白茯苓去皮　乳香別研　熟乾地黃焙各一兩
右爲末次入研藥和勻煉蜜元如梧桐子每服五十元溫酒
鹽湯空心任下
（四十二）双和散補益血氣虛勞少力
黃耆　熟地黃　當歸　川芎
官桂　白芍藥　甘草各三分　人參五分
右㕮咀每服五分水二錢生姜三片肥棗一枚同煎至八分
去滓溫服大病之後虛勞氣乏者此調皆驗溫而有補

四十三 **鹿茸蓯蓉圓** 治丈夫稟受氣血有偏勝者氣勝血則陰虧宜服此藥和陽助陰

熟地黃 洗酒浸蒸二次焙乾二兩　穿心巴戟　嫩鹿茸 酥炙　龍齒

川當歸 洗焙各一兩半　人參 去芦　石蓮肉　兎絲子 蒸二次焙

肉蓯蓉 洗焙　北五味　嫩黃耆 蜜炙　白茯苓 各一兩

右爲末煉蜜圓如梧桐子每服五十圓溫酒鹽湯任下

四十四 **戊己圓** 治丈夫婦人稟賦怯弱血氣衰敗飲食無味肌肉不生積年脾蠱懸心嘔吐亦宜服之

胡椒 五兩　人參　甘草 炙各一兩　茴香 炒

白茯苓　香附子 炒各三兩　白朮 二兩　朱砂 半兩

右爲末姜汁糊圓如梧桐子每服三十圓空心白湯下

四十五 **烏沉湯** 生氣血補心腎虛損之人服此當勝大建中湯

人參　當歸 去芦大者　白朮 炒各一兩　天台烏藥

沉香半兩　白茯苓去皮　附子煨去皮尖各一兩　肉桂去皮半兩

右為末每服三錢水一盞姜五片棗一枚煎空心服

（四十六）家藏方八仙圓　療元臟虛損血氣不足耳鳴目暗腰膝酸痛肌体羸瘦飲食無味

鹿茸一兩火去毛酒炙　麝香一分別研　肉蓯蓉　牛膝　木瓜去子各四兩並用酒浸三日焙干　當歸洗焙二兩　附子二兩炮去皮臍　天麻一兩

右為末煉蜜元如梧桐子每服五十元空心温酒送下

（四十七）十四味建中湯　治榮衛失調血氣不足積勞虛損形体羸瘦短氣嗜卧欲成勞瘵

當歸去芦酒焙　白芍藥　白朮　麥門冬去心　黄耆　甘草　肉蓯蓉酒浸　人參　川芎　肉桂去皮　附子炮去皮臍　半夏　熟地黄酒浸焙　茯苓去皮各等分

右㕮咀每服三錢水一盞姜三片棗一枚煎空心温服

（平補）（四十八）【人參養榮湯】治積勞虛損四肢倦怠肌肉消瘦面少顏色汲汲短氣飲食无味

白芍藥 三两　當歸 去芦　陳皮 去白　黃耆 蜜炙
桂心 去皮　人參　白朮 煨　甘草 炙各一两
熟地黃 製　五味子　茯苓 各七钱半　遠志 炒去心半两

右㕮咀每服四錢水一盞姜三片棗二枚煎服遺精加龍骨一两咳嗽加阿膠

（四十九）【家藏方还少圆】大補眞氣虛損肌体瘦羸目暗耳鳴氣血凝滯脾胃怯弱飲食无味並宜服之塩湯吞下空心

肉蓯蓉 酒浸焙　遠志 去心　茴香 炒各一两　巴戟 去心　乾山藥　枸杞子
熟乾地黃 洗焙各五钱　石菖蒲　山茱萸　牛膝 酒浸一宿焙干各一两半
杜仲 去皮姜汁和酒炙香　楮实　白茯苓　五味子 各一两

右為末煉蜜入蒸熟棗肉和匀圆如梧桐子每服五十元

五十　胡桃丸　益血補髓強筋壯骨延年明目悅心滋潤肌膚服之能除百病

破故紙　柴胡　萆薢　胡桃仁各四兩

右三味為末次入胡桃膏拌勻杵千餘下丸如梧桐子每服五十丸空心溫酒鹽湯任下

五十一　黑圓　治精血衰竭面色黧黑耳聾目暗口乾多渴腰痛脚弱小便白濁上燥下寒不受峻補

鹿茸酒蒸　當歸去芦酒浸各等分

右為末煮烏梅膏圓如梧桐子每服五十圓空心米飲下

五十二　十全大補湯　治男子婦人諸虛不足五勞七傷此藥性溫平補常服生血氣壯脾腎

人參去芦　肉桂去皮　地黃洗酒蒸焙　川芎　白芍藥

茯苓　白术　黄耆去芦　甘草　川當歸去芦各等分

右為粗末每服二錢水一盞姜三片棗二个煎七分温服

【峻補】（五十三）【三建湯】治元陽素虛寒邪外攻手足厥冷六脉沉微大小便滑数及中風涎潮不省人事傷寒陰證皆可服之

大川烏　附子並炮　天雄炮去皮臍各等分

右㕮咀每服四錢水二盞姜十五片煎八分温服不拘時自汗加肉桂小麥氣逆加沉香木香胃冷加丁香胡椒

（五十四）【固陽丹】養氣守神固精壯陽補益真氣常服有效

黒附子炮三兩　川烏頭炮二兩　白龍骨一兩　補骨脂

川練子　舶上茴香各一兩七錢

右為末酒打麫糊圓如梧桐子每服五十圓空心温酒下日三服

（五十五）【歸茸丸】補諸虛

當歸酒洗　鹿茸鹽酒炙　北黄耆鹽水炙　沉香各一兩

靈砂二兩研 北五味子炒 遠志肉 酸棗仁 吳茱萸
茴香炒 破故紙炒 牡礪煅 熟地黃
人參 龍骨煅 附子炮 巴戟各一兩
右煅製如法酒糊丸如梧桐子每服七十丸空心鹽酒下

（五十六）麝香鹿茸丸 益真氣補虛憊壯筋骨生津液
鹿茸火去毛酒浸炙十兩 熟乾地黃淨洗酒浸蒸焙半斤
附子一百四十个炮去皮臍 牛膝去苗酒浸一宿焙一斤四兩 山藥四斤
杜仲三斤半去皮炒去絲 五味子二斤 肉蓯蓉三斤酒浸一夕
右為末煉蜜元如梧桐子用麝香為衣每服三十元溫酒鹽
湯食後任下

（五十七）十補圓 治真氣虛損顏色枯槁腰腳酸疼遺精白濁夜
多盜汗大便自利久服補五臟益精髓
乾姜炮 兔絲子酒浸別研 遠志去心姜汁浸炒 赤石脂煅

厚朴去皮姜汁炙各一两　川椒去子及閉口者炒出汗二两

巴戟去心　破故紙炒　附子炮去皮臍　肉桂去皮各一两

右為末酒糊圓如梧桐子每服五十圓溫酒送下

勞傷　五十八　无比山萘丸　治諸虛百損五勞七傷肌体消瘦耳聾目暗常服壯筋骨益腎水

赤石脂　茯神去皮木各一两　山萘三两　蓯蓉酒浸四两

巴戟去心一两　杜仲去皮炒三两　牛膝去苗酒浸一两　五味子揀六两

澤瀉一两　兔絲子酒浸三两　熟乾地黃酒浸　山茱萸各一两

右為末煉蜜元梧桐子每服三十元空心溫酒下或盐湯亦可日三服

五十九　兔原双補丸　治一切虛損五勞七傷面色黧黑唇口乾燥目暗耳鳴夜夢驚恐四肢酸疼煩熱盜汗

鹿角霜三两　熟地黃洗再蒸　沉香　兔絲子酒浸蒸

麝香一分別研　覆盆子去蒂　白茯苓去皮　人參去芦　宣木瓜

薏苡仁炒　黃耆炙　蓯蓉洗酒浸　五味子去枝炒

石斛去根炒　當歸去芦酒浸　澤瀉切塊冊蒸各一兩　朱砂半兩別研為衣

右為末煉蜜丸如梧桐子每服七十丸空心塩湯下

〔六十〕双和湯　治男子婦人五勞七傷血氣不足面色萎黃四肢倦乏將為虛勞之證常服養氣益血

白芍藥七兩半　當歸去芦洗酒浸焙　熟地黃酒洗　黃耆去芦蜜炙各三兩

甘草炙三兩二分半　川芎去芦三兩　肉桂去皮不見火二兩二分半

右㕮咀每服三分水一盞姜三片棗一个煎空心溫服

〔六十二〕金櫻丹　治男子去血失精婦人半產漏下五勞七傷衰憊之極身体瘦削四肢困乏之虛勞骨蒸等疾並宜服之

金櫻取汁　仙术取汁　生地黃取汁　仙靈皮取汁　木香

肉蓯蓉酒浸研膏　兎絲子酒浸別研　牛膝酒浸　生雞頭肉乾　丁香

生蓮子肉乾　乾山藥　麝香別研後入　栢子仁別研　甘草炒

人參　茯苓去皮　陳皮去白　菖蒲各一两

右將兎絲子已下同爲細末入栢子仁并以白沙蜜入銀石器中於炉内置熟炭五斤煉蜜微解入兒孩母乳汁二升以木篦攪次入上項膏汁同攪勻勿令住手傾入藥末一處攪熬至火消續續緩添熟火勿令大緊熬至膏成取出就于銀石器中候稍温入麝香末一処搜和成劑更於石臼中杵千餘下每两作十丸每服一圓空心細嚼酒下

【失精】六十三　水中金丹　治元藏氣虛不足夢寐陰人走失精氣

陽起石研　木香　乳香研　青鹽各乙分　骨碎補炒

白龍骨一两緊者搥碎綃袋盛大豆蒸豆熟取出焙乾研　黄戌肾一對酒一升煮熟切作片子焙

茴香炒　杜仲各半两去皮生姜炙絲尽　白茯苓二两与肾为末

右為細末酒麪糊和丸如皂子大每服二丸温酒下空心忌房室

〔六十三〕金鎖正元丹 治真氣不足吸吸短氣四肢倦怠脚膝痠疼目暗耳鳴遺精盜汗一切虚損之証並皆服之

五倍子八两 紫巴戟去心十六两 補骨脂酒浸炒十两 肉蓯蓉洗焙一斤

葫芦巴炒一斤 茯苓去皮六两 龍骨二两 朱砂三两别研

右為末入研藥令匀酒糊圓如梧桐子每服二十丸空心温酒塩湯任下

〔六十四〕秘精丸 治元氣不固夜夢遺精

大附子炮去皮臍 龍骨煅赤 巴戟去心 肉蓯蓉酒浸一夕 牛膝酒浸焙

右等分為末煉蜜丸如梧桐子空心塩酒下五十丸

〔六十五〕玉鎖丹 治精氣虚滑遺泄不禁常服澀精固陽

龍骨 蓮花蘂 雞頭实 烏梅肉各等分

右為末用熟山藥去皮研如膏和元如小豆大每服三十元空心米飲下

六十六 **黄犬肉丸** 治真陽衰憊臍腹冷痛小便頻数夜夢遺精足脛痠疼腰背拘痛肌体羸瘦飲食無味

磁石三两水飛煆　川乌炮去皮尖　附子同上　桑寄生

鹿茸酥炙去毛酒蒸　麋茸同上　仙茅酒浸　肉蓯蓉酒浸焙干

川巴戟去心　葫芦巴炒各二两　沉香别研　青盐别研

陽起石煆别研　龍骨生用　虎脛骨酥炙　覆盆子酒浸各一两

右為末用黄犬肉二斤以酒葱茴香煮爛杵和丸如梧桐子每服七十丸空心塩湯任下

六十七 **四精丸** 治思慮色慾過多損傷心氣遺精小便頻數

秋石　白茯苓各四两　石蓮肉去殼皮心　水雞頭粉紅花在上結子垂下各二两

右為末以蒸棗肉杵和丸如梧桐子塩酒塩湯送下三十丸

六十八 **石刻安腎丸** 治真氣虛憊脚弱緩弱夜夢遺精小便滑数

青塩水飛四两　鹿茸去皮酥炙一两　栢子仁揩爛水酒取粉二两　石斛去根

附子炮去皮尖 川烏炮去皮尖 巴戟鹽水浸去心 肉桂去粗皮

兎絲子酒淘淨酒蒸 肉蓯蓉酒浸焙乾 韮菜子微炒 葫芦巴酒炒

杜仲去皮姜汁炒去絲 破故紙酒炒 石棗酒蒸去核 遠志甘草煮去苗骨

赤石脂煅 茯苓去皮 川椒去目微炒出汗 茴香酒炒

蒼朮米泔浸 川練子酒蒸去皮核 茯神去木各二兩 山藥洗淨為糊四兩

右爲末山藥酒糊圓如梧桐大每服八十一圓空心鹽湯送下

〔六十九〕沉香鹿茸丸 治眞氣不足下元冷憊脚膝酸疼四肢无力遺精盗汗一切虛損並宜服之

沉香一兩 附子炮去皮尖四兩 巴戟去心二兩

鹿茸去毛酒炙二兩 兎絲子酒焙五兩 熟乾地黄酒蒸六兩

右爲末入麝香一分半別研和勻煉蜜元如梧桐子每服五十粒好酒鹽湯空心任下

〔七十〕桑螵蛸丸 治下元虛冷精滑不固時自遺瀝

附子　五味子　龍骨各半两　桑螵蛸七个炒

右為末糯米糊丸梧子大每服三十丸空心盐酒下

（七十一）**鎖陽丹**治脱精滑泄不禁

桑螵蛸三两瓦上焙乾　龍骨　白茯苓各一两

右為末糊丸如梧子大每服七十丸白茯苓盐湯空心下

（白濁）**秘精丸**治下虚胞寒小便白濁或如米泔或若凝脂

牡蠣煆　兎絲子酒蒸焙別研　龍骨生用　五味子

韭子炒　白茯苓去皮　白石脂煆　桑螵蛸酒炙各等分

右為末酒糊圓如梧桐子每服七十圓空心盐酒下（七十一）

（七十二）**韭子丸**治膀胱腎冷小便白濁滑數无度

赤石脂煆　韭子炒　川牛膝去芦酒浸　牡蠣煆

覆盆子酒浸　附子炮去皮臍　桑螵蛸酒炙　鹿茸酒蒸焙

肉蓯蓉酒浸　龙骨生各一两　雞膍胵燒灰　沉香鎊不見火各半两

右爲末酒糊丸如梧桐子每服七十丸空心塩酒下

〔七十三〕威喜丸 治丈夫元陽虛憊精氣不固小便白濁餘瀝常流夢寐多驚頻頻遺泄婦人白淫白帶並宜服之

黄蠟四两 白茯苓去皮四两作塊用猪苓一分於器内同煮二十余沸取出日干不用猪苓

右以茯苓爲末鎔黄蠟搜爲元如彈子大每服一元空心細嚼津液嚥下以小便清爲度忌米醋只喫糖醋

積冷

〔七十四〕神仙楮實丸 治積冷氣衝心胷及背并蛔蟲疼痛痔瘻痃癖氣塊眼花少力心虛健忘冷風偏風等疾坐則思睡起則頭眩男子冷氣腰疼膝痛冷痺風頑陰汗盜汗夜多小便泄利陽道衰弱婦人月水不通小腹冷痛赤白帶下一切冷疾无問大小能明目益力輕身補髓益精

楮實子一升淘去泥微炒 牛膝半斤酒浸三日 乾姜二两炮 官桂去皮四两

右爲末酒麪糊爲丸如梧桐子大每服二十丸温酒下空心

七十五　椒附丸　治下經不足內挾積冷臍腹拘急牽動之力小便頻數夜多自汗

附子炮去皮尖半兩　檳榔半兩　陳皮去白　牽牛

五味子各一兩　川椒去子微炒半兩　石菖蒲　乾薑炮各一兩

右剉碎以好米醋於磁器內用文武火煑令乾焙為細末醋煑麪糊元如梧桐子每服三十元塩酒塩湯空心任下

通治　七十六　蓯蓉大補圓　治元臟虛憊血氣不足白濁遺精自汗自利一切虛損並宜服之

附子炮去皮臍　茴香炒　肉蓯蓉酒浸各十兩　木香

白蒺藜炒去刺各五兩　檳榔　黄耆　巴戟去心　桂心各二兩

葫芦巴五兩　川芎二兩　羌活二兩　天麻　牛膝酒浸

澤瀉各五兩　川椒炒去汗十兩　桃仁炒去皮尖　五味子各一兩

右為末蜜圓如梧桐子每服五十元塩酒塩湯空心任下

七十七 家藏方二至元 補虛損生精血去風濕壯筋骨

鹿角 鎊細以真酥一兩无灰酒一升煑干慢火炒令干 蒼耳 酒浸一宿炒焙 山茱 四兩

麋角 鎊細以真酥二兩米醋一升煑干慢火炒干 三味各半斤 當歸 五兩酒浸一宿焙干 沉香 二兩

白茯苓 去皮 黄耆 蜜炙各四兩 肉蓯蓉 酒浸一宿焙干 人參 去芦

沙苑蒺藜 去土洗焙各二兩 附子 炮去皮臍一兩 遠志 去心二兩

右為末用酒三升糯米三合煑爛和杵圓如梧桐子每服五十元温酒鹽湯空心任下

七十八 鹿茸大補湯 治男子諸虛不足婦人亡血一切虛損

鹿茸 製 黄芪 蜜炙 當歸 酒浸各二兩 白芍藥

附子 炮各兩半 肉蓯蓉 酒浸焙二兩 人參 肉桂 各一兩半

杜仲 炒去絲二兩 石斛 酒浸蒸焙一兩半 五味子 兩半 熟地黄 酒浸焙三兩

白茯苓 去皮二兩 半夏 白术 煨各兩半 甘草 半兩

右㕮咀每服四錢水一盞姜三片棗一枚煎服

（七十九）上册 養五臟補不足秘固真元調和榮衛久服明目駐顏交攝心腎男子無嗣女子不孕並宜服之

五味子半斤 百部酒浸一两焙干 兔絲子酒浸別研 肉蓯蓉酒浸 杜仲炒断絲 巴戟去心 遠志去心 枸杞子 山茱 防風去叉 白茯苓去皮 蛇床子炒 栢子仁別研各二兩

右為末煉蜜圓如梧桐子每服五十圓空心温酒鹽湯任下春煎乾棗湯吞加五味子四兩秋加枸杞子冬加遠志各六兩四季月加蓯蓉六兩

（八十）中册 補諸虚百損体氣羸弱精血不行上焦客熱中脘停痰脾胃失調不進飲食並宜服之

黄芩用一两為末姜汁和作餅 白芍藥 黄耆 當歸 人參 桂心各二兩 川椒炒出汗 熟附子 白茯苓

右為末粟米飯搜和擣千杵圓如梧桐子每服五十圓空心

温酒米飲任下

〔八十二〕小丹 補勞虛益氣血去風冷消百病

肉蓯蓉（酒浸） 熟地黄（各六兩） 五味子 兎絲子（酒浸各五兩） 澤瀉（二兩） 栢子仁（別研） 天門冬（去心） 蛇床子 覆盆子（各三兩） 續斷 菖蒲（去毛） 桂心（各二兩） 巴戟（去心） 石斛（各三兩） 人參（二兩） 天雄（炮去皮臍一兩） 煉成鍾乳粉（氣衰用三兩積老用二兩氣實則除去常服用一兩） 山藥 杜仲（炒斷絲） 白茯苓 遠志（去心炒） 山茱萸（各二兩）

右為末煉蜜圓如梧桐子食前酒服五十圓小便多者去鍾乳倍地黄多忘倍遠志茯苓少氣神虛倍覆盆子欲容色光滑倍栢子仁虛寒倍桂心小便赤濁三倍茯苓一倍澤瀉吐逆倍加人參風虛倍天雄

〔八十三〕家藏方固真圓 治諸虛不足常服補益五臟接助真陽潤澤肌膚強壯筋骨

川烏頭塩炒黄色去塩　熟乾地黄洗焙　秦椒各二両
肉桂去皮　茴香酒浸炒　威灵仙　仙灵皮
山茱　五味子炒各一两　萆薢　附子炮去皮臍
白茯苓去皮　當帰洗焙　牛膝酒浸一宿　石菖蒲各半両
右為末煉蜜和杵千餘下圓如梧桐子每服五十元空心温
酒塩湯任下

（八十三）真珠丹　昔西蜀藥市中常有黒髮朱顔道人每大醉高
歌厲声曰尾閭不禁滄浪竭九轉靈丹都謾說惟有斑龍頂上
珠能補玉堂關下血即貨此藥也朝野遍傳一名斑龍丸
辰砂别研半両　當帰去芦尾　地黄九次蒸九次焙各八両　肉蓯蓉
鹿茸去皮毛切片酥炙无酥用濁酒炙　鹿角膠炒珠子　鹿角霜　大附子
栢子仁去殻同棗仁擣　黄耆蜜炙　陽起石煅酒淬　酸棗仁去殻擣成膏各一両
右為末酒煮麪糊丸如梧桐子每服五十丸空心温酒塩湯

任下用乾物壓之為妙

（八十四）**小安腎圓** 治腎氣虛乏下元冷憊夜多漩溺肢體倦怠漸瘦弱腰膝沉重好卧少力精神昏憒耳內常鳴面無精光泄瀉腸鳴目昏齒痛一切虛損

香附子　川烏　川楝子各半斤用塩二兩水二升同煮候乾切焙

熟地黃　茴香六兩　川椒二兩去目炒出汗

右為末酒糊丸梧子大每服二三十丸空心塩酒下

（八十五）**無名丹** 補虛守神強陽道澁精益氣男子服之有奇功

蒼朮一斤不浸杵令淨　龍骨一兩　赤石脂二兩

川烏　茴香　蓮肉　白茯苓

遠志甘草水煮取皮薑汁炒各一兩　川楝肉三兩　破故紙二兩炒

為末酒糊丸梧子大朱砂一兩另研為衣每三十丸漸加至百丸温酒米飲塩湯皆可婦人無子服之有功

（八十六）五福延齡丹　治諸虛百損五勞七傷一切冷疾常服延年不老妙不可言

五味子　肉蓯蓉酒洗　杜仲各二兩　兎絲子酒蒸
天門冬　川巴戟　山藥　人參去芦各一兩
車前子　鹿茸酒炙　川山甲酒炙　石菖蒲
澤瀉　熟地黃酒蒸　枸杞子　生乾地黃
茴香　山茱萸　茯神　遠志甘草水煮取皮肉姜汁炒
杏仁去皮尖　胡芦巴　栢子仁　川當歸酒蒸焙
川椒去目炒　破故紙炒　川練子去核　川牛膝酒洗去芦
赤石脂　伏盆子　麥門冬去心　續斷
附子炮去皮　沉香不見火　木香不見火　地骨皮各半兩

右為末煉蜜為丸梧子大每服五十丸空心溫酒下或鹽酒吞下或用棗肉為丸亦可

八十七 **正元散** 治下元虛備臟腑滑泄時或自汗陽氣漸微手足逆冷傷寒陰証霍乱轉筋久下冷利一切虛寒並皆服之

紅豆炒三分 人参去芦二两 附子炮去皮一两 肉桂去皮半两 陳皮二分

山藥姜汁炒 川芎各一两 川烏炮去皮臍半两 烏薬去木一两 白术二两

乾薑炮三分 黄芪炙一两半 乾葛一两 茯苓去皮二两 甘草炙三分

右㕮咀每服三分水一盞姜三片棗一箇入塩少許煎服不計時候

五勞一

八十八 **羚羊角散** 治肝勞实热两目赤澁煩悶热壅

羚羊角鎊 柴胡去芦 黄芩 川當歸

决明子 羌活去芦 赤芍藥 甘草炙各等分

右㕮咀每服四分水一盞姜五片煎服不拘时

八十九 **續断湯** 治肝勞虛寒脇痛脹滿攣縮煩悶眼昏不食

川續断酒浸 川芎 當歸去芦酒浸 橘紅

半夏湯洗七次　乾姜炮各一两　桂心不見火　甘草炙各半两

右㕮咀每服四钱水一盞姜五片煎服不拘時

（九十）黄芩湯治心勞实热口瘡煩渴小便不利

澤瀉　梔子仁　黄芩　麥門冬去心

木通　生干地黄　黄連去須　甘草炙各等分

右㕮咀每服四钱水一盞姜五片煎服不拘時

（九十一）遠志飲子治心勞虛寒夢寐驚悸

遠志去心甘草煮干　茯神去木　桂心不見火　人參

酸棗仁炒去殼　黄芪去芦　當歸去芦酒浸各一两　甘草炙半两

右㕮咀每服四钱水一盞姜五片煎服不拘時

（九十二）人參丁香散治脾勞虛寒不能運化腹脇脹滿短氣或

吐痰水噫醋呑酸不思飲食漸至羸瘦方見脾胃門

（九十三）小甘露飲治脾勞實熱身体眼目俱黄咽喉腫痛

黃芩　川升麻　茵陳　梔子仁
桔梗去芦炒　生地黃洗　石斛去根　甘草炙各等分
右㕮咀每服四钱水一盞姜五片煎服不拘时

(九十四)二母湯 治肺劳实热面目浮腫咳嗽喘急煩热頰赤漸成瘵疾

知母　貝母去心　杏仁去皮尖炒　甜葶藶炙各半
半夏湯洗七次　秦艽去芦　橘紅各一两　甘草炙半两
右㕮咀每服四钱水一盞姜五片煎服不拘时

(九十五)温肺湯 治肺劳虛劳心腹冷氣胸脇逆痛時發咳嗽氣虛喘急

人參　鍾乳粉　半夏湯洗七次　桂心不見火
橘紅　乾姜炮各一两　木香不見火　甘草炙各半两
右㕮咀每服四钱水一盞姜五片煎服不拘时

（九十六）地黄湯 治肾劳实热腹脹耳聾常夢見大水

生地黄洗 赤茯苓去皮 玄参洗 石菖蒲

人参 黄耆去芦 遠志去心甘草煮 甘草炙各一两

右㕮咀每服四錢水一盞姜五片煎服不拘时

（九十七）羊肾丸 治肾劳虚寒面腫垢黑腰脊引痛屈伸不利夢寐驚悸小便白濁

熟地黄 杜仲去皮炒 石斛去根 兎絲子酒淘淨蒸焙別研

黄耆去芦 川續斷酒浸 桂心不見火 磁石煅醋淬

川牛膝去芦酒浸 沉香別研 五加皮洗 山茱炒各一两

右為末雄羊肾两對以葱椒酒煮爛入酒糊同杵和為丸如梧桐子每服七十丸空心塩湯下

（六極）

（九十八）五加皮湯 治筋实極咳則两脇下痛不可轉動并脚心痛不可忍手足爪甲青黑四肢筋急

羌活去芦　羚羊角　赤芍藥　防風去芦
五加皮洗　秦艽去芦　枳實去穰麸炒　甘草炙各半兩
右為末每服四錢水一盞姜五片煎服不拘時

（九十九）**木瓜散** 治筋虚極脚手拘攣伸動不得十指甲痛數轉筋甚則舌卷卵縮唇青面黑
虎脛骨酥炙　五加皮洗　木瓜去穰　當歸去芦酒浸　甘草
酸棗仁炒去殼　人參　桑寄生　柏子仁炒　黄耆去芦各一兩
右㕮咀每服四錢水一盞薑五片煎服不拘時

（一百）**茯神湯** 治脉虚極欬則心痛喉中介介如鯁狀甚則咽腫
茯神去木　人參　遠志去心甘草煮　通草
麥門冬去心　黄耆　桔梗去芦炒　甘草炙各等分
右㕮咀每服四錢水一盞薑五片煎服不拘時

（百一）**薏苡仁散** 治肉實極肌膚淫淫如鼠走津液開泄或時

麻痺不仁

川芎　薏苡仁　石膏　桂心不見火　杏仁去皮麩炒

羚羊角鎊　防風去芦　漢防己　赤芍藥　甘草各等分

右㕮咀每服四錢水一盞姜五片煎服不拘時

（百二）**半夏湯**治肉虛極體重連肩脇不能轉動則咳嗽脹滿留飲痰癖大便不利

半夏湯洗七次　茯苓　人參　白术　大腹皮

橘皮去白　木香不見火　桂心不見火　附子炮去皮臍　甘草各等分

右㕮咀每服四錢水一盞姜五片煎服不拘時

（百三）**前胡湯**治氣實極胸膈不利咳逆短氣嘔吐不食

前胡去芦　半夏湯洗七次　杏仁去皮　紫蘇子炒

枳實　陳皮去白　桑白皮炙　甘草炙各等分

右㕮咀每服四錢水一盞姜五片煎服不拘時

百四 紫菀湯 治氣虛極皮毛焦枯四肢無力喘急短氣

紫菀茸 乾姜炮 黄耆去芦 人參

五味子 鍾乳粉 杏仁去皮尖麸炒 甘草炙各等分

右㕮咀每服四錢水一盞姜五片棗一枚煎服不拘時

百五 歛陽丹 治老人氣虛面紅自汗陽氣不歛者悉宜服之

靈砂 鍾乳各研末二两 金鈴子蒸去皮核 沉香鎊

木香 附子炮去皮臍 葫芦巴酒浸炒 陽起石煅成細粉水飛

破故紙酒浸炒 舶上茴香炒 肉豆蔻麵裹煨 鹿茸酒炙

蓯蓉酒洗 牛膝去芦酒浸 巴戟去心各一两 肉桂去皮半两

右各末和匀酒煮糯米糊丸如梧桐子空心棗湯下三十丸

百六 玄參湯 治骨实極面色焦枯隱曲膀胱不通牙齒腦髓苦痛手足酸疼大小便秘

車前子 黄耆去芦 當歸去芦酒浸 枳殼去穰麸炒

麥門冬去心 白芍藥各一兩 甘草炙半兩 生地黃洗 玄參各一兩

右㕮咀每服四錢水一盞姜五片煎服不拘時

百七 鹿角圓 治骨虛極面腫垢黑脊痛不能久立血氣衰憊髮落齒枯甚則喜唾

鹿角二兩 川牛膝去芦酒浸焙一兩半

右為末煉蜜圓如梧桐子每服五十圓空心塩湯下

百八 石斛湯 治精實極眼視不明齒焦髮落通身虛热甚則胷中煩疼夜夢遺精

小草 石斛去根 黃耆去芦 麥門冬去心

生地黃洗 白茯苓去皮 玄參各一兩 甘草炙半兩

右㕮咀每服四錢水一盞姜五片煎服不拘時

百九 磁石圓 治精虛極氣体羸瘦夢中走洩後遺瀝不已小便白濁甚則陰痿

磁石煅醋淬二两　肉蓯蓉酒浸焙　鹿茸去皮毛酒蒸

川續斷酒浸　杜仲炒断絲　栢子仁炒别研

赤石脂煅　熟地黄酒蒸焙　山茱萸取肉

兎絲子酒蒸别研　川巴戟去心　韭子炒各一两

右爲末酒糊圓如梧桐子每服七十圓空心盐酒盐湯任下

名方類證醫書大全卷之九

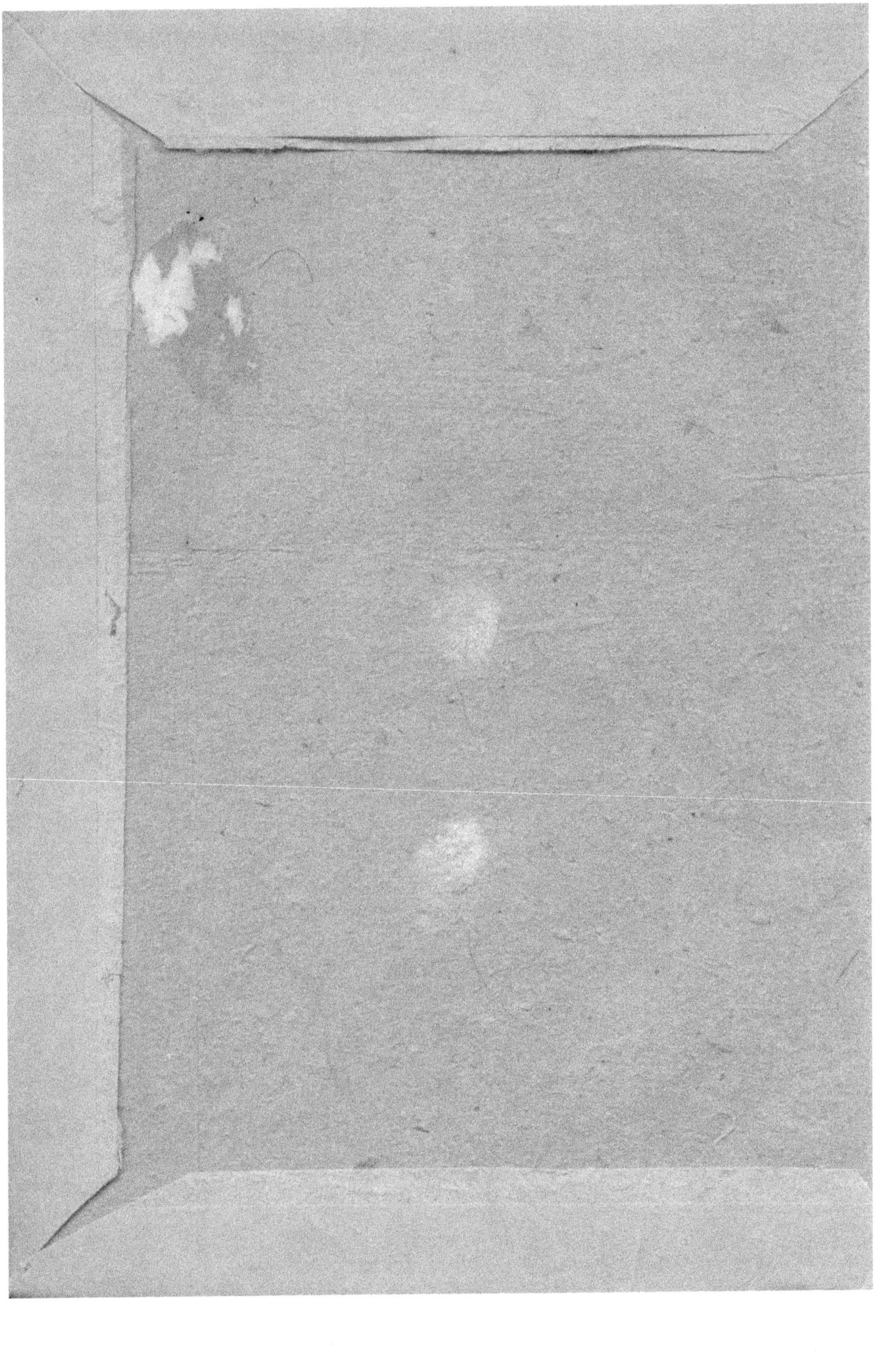